MW00626152

TRANSMISIÓN PROGRESIVA

Una propuesta de Liderazgo

JUAN G. RUELAS

Transmisión progresiva
por Juan G. Ruelas

Copyright © 2018 Editorial RENUEVO LLC.

Derechos reservados
Ninguna parte de esta publicación puede ser reproducida, almacenada en un sistema de recuperación o transmitida en cualquier forma o por cualquier medio – sea electrónico, mecánico, digital, fotocopiado, grabado o cualquier otro – sin la previa autorización escrita de Editorial RENUEVO.

ISBN: 978-1-64142-002-0

Publicado por
Editorial RENUEVO LLC.
www.EditorialRenuevo.com
info@EditorialRenuevo.com

Contenido

Nota del autor

¿Leerías un libro escrito por un inmigrante que viene de una familia disfuncional y que además viene de una infancia llena de carencias cuyo único afán fue la sobrevivencia? Bueno, ya lo estás haciendo.

El objetivo de esta historia que estoy a punto de narrar no es despertar recuerdos tristes en mi corazón o solo mencionar la historia de este niño pobre, porque estoy seguro de que muchos compartimos historias similares. El propósito es mostrarte, paso a paso, cómo la capacidad de un ser humano es tan poderosa como la del ave fénix que muere para renacer en toda su gloria. Esta es una historia de coraje y superación que comparto contigo porque cada uno de nosotros tenemos la capacidad de superar obstáculos para lograr nuestros sueños y vivir una vida plena, que no son más que el deseo y el derecho natural del que fuimos dotados al nacer y por estar hechos a semejanza de nuestro Creador.

Agradezco a Dios porque puedo decir que he logrado transformar mi vida. Todos los seres humanos pasamos por vicisitudes a través de nuestra existencia, de una forma u otra, dependiendo del entorno de cada uno. Pero en estas páginas, es mi deseo ferviente el no sólo platicarte la historia de un inmigrante, sino mostrarte que todo lo que sueñes se puede lograr si ese sueño ya ha echado raíces en tu corazón.

Dedico estas páginas a todos aquellos que tengan el deseo sincero de convertir una senda de temor e incertidumbre en un camino iluminado por la luz de la esperanza.

Para ti, de tu amigo,
Juan Ruelas

Capítulo UNO

Aprender a vencer obstáculos

¿Qué fue lo que ocurrió que cambió mi vida tan dramáticamente?

Te digo con toda sinceridad que los mismos cambios pueden ocurrir en tu vida, sin importar de dónde vengas y dónde te encuentres ahora.

¿No me crees? Bueno, demos un vistazo a mi infancia.

Fui criado por mis abuelos en Colima, México, un lugar a unos siete kilómetros de la costa del Pacífico. Mi hogar estaba en una casa con techo de palapa. Es decir, una casa con techo de hoja de palma y las paredes parecidas a un cerco de palos. Una casa sin drenaje, sin aire acondicionado, sin aislamiento térmico, etc. Resulta que cuando llovía, se metía el agua por los agujeros de la casa. La cocina era un pretil o fogón que consistía en tres piedras del mismo tamaño y una lámina de metal sobrepuesta sobre ellas. Nuestra única luz provenía del petróleo que se consumía en las bombillas hechas en casa, con una mecha sumergida en una porción de petróleo.

Mi madre tuvo una relación temporal con mi padre. Ella se fue cuando yo tenía tres o cuatro años y mi hermana más pequeña tenía dos. Conforme iba creciendo, surgían los comentarios acerca de quién era mi padre. Siendo un niño, recuerdo a un hombre que conducía una camioneta azul y pasaba cerca de nuestra casa de forma regular. Ese hombre solía ignorar mi existencia. No tengo recuerdo alguno de que posara sus ojos en mí cuando yo lo veía cruzar detrás del volante de su camioneta. A medida que fui creciendo, los vecinos comentaban: «Cómo te pareces a ese hombre». Sus comentarios me hacían sentir el impulso de correr hacia él, abrazarlo y pedirle que jugara conmigo. A una edad tan temprana, los comentarios de los vecinos y el sentirme ignorado por el hombre de la camioneta azul me hacía sentir confundido y desolado.

A pesar de mi poca edad, yo deseaba confirmar si era verdad lo que yo sospechaba. Ahora que lo medito mientras te cuento esta historia, yo deseaba, con todo el corazón, poder confirmar que él fuera mi padre, pero me hería de una forma tan profunda el hecho de que cuando pasaba frente a la casa, nunca se tomó el tiempo de saludarme, de platicar conmigo y mucho menos jugar o darme un abrazo. Creo que en el fondo, hasta quería parecerme a él y que me recogiera en su camioneta, me expresara que me quería y hasta me regalara un juguete, pero eso no sucedió. Quedó en mí por mucho tiempo, como una ilusión inalcanzable.

Recuerdo que cuando terminé el sexto grado, otra hija de mi padre también se estaba graduando. Cuando la llamaron a recoger su certificado de graduación, mi papá se acercó a ella, le entregó un regalo y se tomó una foto con ella. Abrí los ojos como platos con la ilusión de que, por arte de magia, hiciera lo mismo conmigo y mi sueño de tener un padre se hiciera realidad, pero no fue así. Cuando pronunciaron mi nombre para recoger el certificado, creí que se acercaría a mí para por lo menos reconocerme y tomarse una fotografía conmigo que me hiciera sentir menos solo y desolado. Entre el público, lo vi a él y a su hija perderse entre los otros padres. Mis ojos se llenaron de lágrimas y mi madrina María—quien me había acompañado—se dio cuenta de que estaba sufriendo y se acercó a mí para reconfortarme con estas palabras: «Hijo, no te preocupes. Algún día, crecerás y tu papá sabrá quién eres».

Uno de mis sueños era que el hombre misterioso de la camioneta azul algún día se detuviera, bajara del vehículo, se acercara a mi puerta y me dijera: «Tú eres mi hijo». Mis abuelos rara vez hablaban acerca de él y simplemente seguíamos con nuestras vidas. Qué triste que un niño pequeño deba vivir de esta manera. Durante una noche lluviosa, mi abuela, a quien yo llamaba Mamá María, estaba hirviendo té de canela. La lluvia era densa y en la estructura de nuestra humilde vivienda se comenzaron a sentir los estragos. No pude contenerme y le dije a Mamá María: «Cuando yo crezca, le voy a hacer una casa para no mojarnos». Ella me respondió con firmeza: «Cuando tú crezcas, prométeme que vas a servir para algo».

—Sí, Mamá María —respondí. Ese preámbulo de intimidad me dio la oportunidad de hacerle varias preguntas—: ¿Quién es mi mamá? ¿Cómo se llama? ¿Cómo es ella?, ¿Cuándo y a dónde se fue? ¿Cuándo va a regresar? —Mamá María respondió a cada una de mis preguntas.

—Tu mamá se llama Elvia. Se fue a los Estados Unidos. Algún día, ella va a recordar que dejó a sus dos hijos a mi cargo y vendrá por ustedes. Algún día, Juan, algún día…

Se hizo un momento de silencio y le solté la pregunta que me atormentaba. —Es cierto que el hombre que pasa por aquí en la camioneta azul es mi papá?

—Sí, Juan. Él es tu papá —respondió Mamá María.

—¿Y por qué cuando pasa por aquí no se detiene? ¿Por qué nunca me habla?

—Bueno —suspiró—, algún día, cuando crezcas, entenderás las cosas.

Después de esta conversación, me invadió una mezcla de dolor y alivio. Se sintió bien saber la verdad, especialmente debido a mis sospechas acerca de mis verdaderos padres. Sin embargo, el pensamiento de que mi verdadera madre andaba por ahí y que mi padre ni siquiera me dirigía una mirada era lo que más me hacía añicos el corazón. Tenía un padre que no solamente no me reconocía, sino que ni siquiera era capaz de darme una mirada de simpatía desde su zona de confort. A mi corta edad, fue la experiencia más dolorosa que había enfrentado.

Mamá María hizo todo lo posible por cuidarnos a mi hermanita y a mí. Aprendimos muchísimo de ella. Nos enseñó a ser fuertes ante la adversidad. Y, ante todo, nos enseñó acerca del amor terco, ese amor obstinado por la vida que te impulsa a luchar. Nos enseñó que una verdad endulzada pierde su esencia de verdad pura y que siempre nos aceptáramos por lo que éramos: seres humanos.

«¡No tengo nada!» Ese era el primer pensamiento con el que despertaba cada mañana, con el estómago vacío.

Éramos tan pobres. Yo usaba pantaloncillos cortos todos los días para ir a la primaria; solíamos andar sin camisa y con los pies descalzos. Si teníamos suerte, un tío nos compraba huaraches. Con frecuencia, no había un solo mendrugo qué comer en la casa, puesto que las opciones de Mamá María eran limitadas—aunque ella era un ángel que Dios envió para cuidarnos—siempre fue sincera acerca de esa verdad. Ella, con su sabiduría, en lugar de enseñarnos a pedir limosna, pedir prestado o robar, nos enseñó *uno de los más importantes principios que cualquier niño pudiera aprender y que hasta la fecha, es el motor que mueve mi vida y la de mi familia: **el valor de servir a otros.***

En ocasiones, cuando regresábamos de la escuela, Mamá María solía decir: «No tengo nada para darles de comer». Tenía una mirada firme y sin ningún tipo de aflicción o sentimentalismo, continuaba: «Pero les he enseñado a granjearse un taco» ("granjearse un taco" es un regionalismo que usamos en muchas regiones de México, incluyendo la ciudad de México, para indicar el hecho de aprender a ganarse el sustento por uno mismo). Luego continuaba diciendo: «Una persona servicial siempre caerá bien. A una persona servicial, siempre habrá alguien que tenga la voluntad de darle algo que comer».

Uno de los principios más importantes que cualquier niño pudiera aprender: *el valor de servir a otros.*

Yo prestaba atención de inmediato mientras ella continuaba:

«Tienen dos opciones: O se comen las tortillas que tenemos o pueden ir a la casa de algún vecino y ofrecerse a hacer algo. Ofrezcan barrer la banqueta o el jardín. Ofrezcan ayuda con algo». Una comida con tortillas secas sonaba peor que la incertidumbre de buscar trabajo. Desde la edad de seis años, empecé a trabajar para ayudar a alimentarme y también a mi familia.

La mayoría del tiempo, eso significaba esperar afuera de la casa de alguna familia acomodada, con la esperanza de que necesitaran a alguien para comprar verduras en el mercado o algún otro mandado. La mayoría de la gente acomodada tenía la costumbre de cocinar con productos frescos todos los días. Por algunos pesitos, los chiquillos del barrio íbamos al mercado por ellos.

Las palabras de Mamá María estaban constantemente en mi mente: «Si te dan un peso, lo tomas. Si te dan un taco, te lo comes, pero nunca te acerques a la mesa. Es mejor que te inviten a la mesa, a que te corran de la mesa».

Así seguí creciendo. Acostumbraba visitar a mi madrina Velia y jugar con su hijo Noé. Tengo bonitos recuerdos de mi madrina Velia. Ella apaciguó mi hambre por algunos años. La excusa era que iba a jugar con Noé y mientras jugaba con él, mi madrina tenía la gentileza que perdura en mi mente de ofrecerme algo que comer, y cuando la suerte estaba de mi lado, hasta me daba un abrazo. Por lo tanto, regresaba a casa como dice el dicho mexicano, con «barriga llena y corazón contento». Nunca podré olvidar su cariño y bondad hacia mí.

Cuando crecí lo suficiente—tenía alrededor de nueve años de edad—comencé a trabajar en el campo. Eso fue lo que hice. Mamá María acostumbraba mandarnos a trabajar sin que nos pagaran. Su lema era: «Dense por bien servidos porque les están enseñando a trabajar. No esperen a que les paguen por aprender. Aprendan a trabajar».

Había tantos niños en nuestra comunidad que mi día escolar duraba alrededor del mediodía y luego una segunda sesión escolar empezaba para otro grupo. Mi vida era simple y rutinaria: Levantarme, caminar hacia la escuela, cumplir con mis clases de 8:00 a.m. a 12:30 p.m., caminar de regreso a casa y buscar el sustento, «granjeándome un taco» y sirviendo a otros.

Yo imaginaba que el resto de mi vida sería así para siempre, puesto que era lo único que hasta ese momento había conocido; excepto que un día, después del regreso de la escuela a casa, una visitante inesperada se encontraba en nuestra casa. Nos visitaba desde los Estados Unidos.

No tengas miedo

Un día de primavera, después de que las clases de secundaria habían terminado, yo caminaba de regreso hacia la casa de Mamá María. Cuando entré, vi a una hermosa mujer hablando con mi abuelita. Estaban sentadas junto al pretil. Aparte de los vecinos, nunca teníamos visitantes y esta mujer parecía estar fuera de lugar en nuestro barrio.

En el momento que mi abuela dirigió su mirada hacia mí, murmuré: «¿Quién es esa señora?».

—¡No tengas miedo, acércate! —afirmó Mamá María, mientras que hizo una señal a la visitante con un gesto de autoridad.

—¿Quién es ella? —pregunté.

El rostro de nuestra misteriosa visitante se sonrojó y una lágrima escapó de su ojo. Se lanzó hacia mí y me dio un abrazo que en un principio fue apabullante. Ella lloraba mientras me abrazaba. Sus lágrimas se adhirieron a mi rostro y una corriente de calidez me inundó. Su amor comenzó a cobijarme.

Empezó a hablar con voz quebrada por la emoción y me dijo: «Soy tu mamá y he venido por ti y por tu hermana».

Cuando era pequeño, solía preguntarle a mi abuela acerca de mi mamá por lo menos una vez por semana. Por lo tanto, en lugar de sentirme confundido por su visita inesperada, sentí un cierto alivio en el corazón.

Me abrazó y lloramos juntos por al menos diez minutos. No recuerdo, hasta la fecha haber llorado así antes. Cualquier resentimiento que guardaba en mi interior se convirtió en esperanza, hasta que la siguiente mañana cuando desperté, ella se había ido.

Gracias a Dios, regresó seis días después. Te preguntarás porqué sé exactamente, hasta este momento, que eran seis días. La razón es porque conté cada minuto de su ausencia desde que desperté esa mañana.

Recuerdo vívidamente el momento en que nos dijo a mi hermanita y a mí: «Regresé para llevarlos a los Estados Unidos». Honestamente, al escuchar sus palabras, recuerdo que no fue la idea de ir a los Estados Unidos lo que me emocionó; fue simplemente el hecho de estar con mi mamá. Aun cuando no tenía ninguna memoria acerca de ella, mi corazón pedía a gritos estar con quien me dio la vida. Eso era lo único que me importaba y no me di cuenta de ello hasta ese preciso momento.

Así fue como mi madre nos trajo a los Estados Unidos en 1985. Estoy agradecido con mi madre. Estoy convencido de que ella se esforzó y pagó un precio para traernos.

Una nueva familia

Quince años de edad es una edad difícil para desarraigarse, dejar a tus amigos y mudarte a otro país con una madre que apenas conoces.

Para hacer la odisea aún más difícil, mientras conducíamos hacia nuestro nuevo destino en California, mi madre nos contó a mí y a mi hermana acerca de su relación con el padre de sus otros dos hijos. Resulta que teníamos dos nuevos hermanos de ocho y nueve años respectivamente.

La tormenta de sorpresas no terminó allí: Después de unos meses de haber desempacado mis cosas, en una casa de alrededor de

1.100 pies cuadrados (102 m²) en Dinuba, California, tuve otra esclarecedora conversación con mamá.

«Juan, en este país, todo el mundo paga renta. Vas a ir a la escuela de lunes a viernes. Los sábados vas a ir a trabajar en los campos y vas a pagar $55 cada semana para la renta. Ya sabes; para que puedas comer, bañarte y tener un lugar para dormir, tendrás que ganarte el sustento.»

Mis ojos incrédulos se clavaron en su rostro. Estaba paralizado por todos los cambios, sin contar lo que me esperaba. Intentaba entender a mi nueva familia, mis nuevas responsabilidades y lo que estaba ocurriendo. Mi mente se nubló de terror, me estaba enfrentando a algo totalmente diferente y aterrador a lo que había sido mi infancia llena de frustración por la falta de alimento físico y emocional. Ahora debía pagar cincuenta y cinco dólares que—para mi poco entendimiento de un joven adolescente recién llegado al país—podrían haber sido cincuenta mil dólares. No tenía idea de a qué cantidad de dinero se estaba refiriendo mi madre. Sin embargo, no temía al trabajo. Lo había hecho desde que estaba en la primaria, pero la nueva situación en la casa de mi madre fue una sorpresa atemorizante y sorpresiva para un joven de mi edad y sin entender cuáles eran las reglas en este nuevo mundo. Ella continuó:

—Si ves que compro ropa o cosas para tus hermanos, eso no significa que también compraré cosas para ti —exclamó ella—. ¡Ellos tienen a su padre y tú no!

No respondí; quedé paralizado. Mis expectativas habían tomado un giro inesperado. No sabía cómo responder a este nuevo reto. Traté de tranquilizarme y pensar en los consejos de Mamá María. El trabajar nunca me asustó. Sabía que la manera de sobrevivir sería sirviendo.

Yo nunca tuve mi propia habitación; por lo tanto, podía dormir en cualquier rincón.

Mi mamá dormía en una habitación. Mis hermanos en la segunda recámara y mi hermana, en la tercera. Yo dormía en la parte externa de la casa. Allí había una especie de almacén de madera que servía precisamente para almacenar cosas viejas; medía más o menos dos por dos metros de ancho, pero tenía una ventana. Yo no me sentí mal por dormir en ese espacio utilizado para almacén, porque ese piso de concreto era mucho mejor que el piso de tierra. Es increíble cómo cambia la perspectiva de un ser humano ante las diferentes circunstancias. Somos increíbles.

Dentro de ese cuarto, no había aislamiento térmico, calefacción ni mucho menos aire acondicionado. Solo tenía un piso de concreto y las paredes eran de madera. Un pedazo de alfombra y algunas cobijas formaban mi lecho para descansar.

Ese fue mi hogar por los siguientes tres años. De alguna manera, pienso que la casucha que me albergó como «cuarto para dormir» fue un gran avance para mí. Tenía privacidad y podía poner los carteles que me gustaban en las paredes. En la escuela, continuamente les daban a los estudiantes carteles para carreras profesionales y para promocionar universidades. Cada uno tenía un mensaje común y positivo. Las palabras e imágenes de esos carteles fueron los primeros mensajes de fortalecimiento que alguna vez observé y serían el parteaguas de lo que me deparaba el futuro.

La escuela me deslumbra

Todavía recuerdo mi primer día de escuela en el noveno grado en los Estados Unidos. Como no hablaba inglés, no sabía qué esperar. Gracias a Dios que el director me puso en clases especiales donde se podía aprender inglés como segunda lengua.

—¡Juan, bienvenido! —la profesora exclamó en cuanto entré al salón de clase. Era una mujer de unos cuarenta años, con ojos azules que demostraban fuerza, pero al mismo tiempo, una gentileza inigualable.

—¿Cómo es que sabe mi nombre? —pensé; su voz era acogedora. Era todo lo que necesitaba en ese momento para calmar mis nervios.

—¡Bienvenido! —repitió ella, caminando hacia mí con sus brazos abiertos, y en un momento, me sorprendió con un cálido abrazo. Un gran abrazo verdadero. Me sentí, por primera vez, como si yo fuera un viejo conocido que no veía hace mucho tiempo, regresando de un viaje. No estoy seguro si esa era su práctica normal con los estudiantes, pero de donde yo provenía, los maestros no abrazaban a sus estudiantes, mucho menos a un desconocido y, sobre todo, a alguien tan mal vestido.

De donde yo vengo, los maestros se parecían más a dictadores. No recuerdo algún abrazo como ese de parte de nuestra madre o de algún maestro. Jamás había sentido tal calidez. Es por eso—creo yo—que este momento con mi nueva maestra siempre vivirá de manera permanente dentro de mí. Con su abrazo, ella me hizo sentir que ya no estaba solo en este país. El abrazo de mi maestra se parecía al de Mamá María, mi madrina Velia y mi madrina María.

Mi país, México, siempre será el lugar que me vio nacer y que yo respeto y amo profundamente con todas las fibras de mi ser. He inculcado el mismo amor y respeto en mis hijos, porque soy un fiel creyente de que el que no tenga un amor verdadero por su patria, no puede considerarse ni oriundo de ese país ni ciudadano del país que lo ha acogido. Pero también deseo enfatizar lo que en mi propia experiencia ocurría en un país subdesarrollado como era México en ese tiempo y especialmente, en algunos lugares de provincia que avanzan más lentamente que las grandes ciudades. Los prejuicios eran muy obvios y completamente normales. Para aquellos que éramos desafortunados financieramente, no contábamos con simpatías o deferencias de parte de los maestros. El mejor trato era para aquéllos que llevaban las vestimentas correctas y de quienes se sabía que sus padres eran de una mejor posición económica. Por lo tanto, el abrazo que me dio mi maestra fue como un premio de un millón de dólares para un chiquillo tan falto de amor. En ese momento, sentí que el amor era tan irreal y desconocido como ese millón de dólares del que te comento; era lo que yo me gané con el abrazo tan real que me dio mi maestra.

Experimenté esto a un nivel aún más intenso en mi nueva escuela. El hecho de no hablar por lo menos dos palabras de inglés aumentaba la desventaja. El ser juzgado y descartado por ser pobre o porque no hablabas cierta lengua es una experiencia muy cruel y una cual creo que muchos hemos experimentado.

Estoy seguro que te identificas con esto. Si te han lastimado o te han dicho que tu vida es limitada, mi historia te traerá esperanza y alivio. Si nunca has experimentado el sentimiento de sentirte inferior a los demás, espero poder tocar tu corazón y tu mente al relatarte mi propia experiencia.

Las palabras gentiles, miradas amables y la aceptación de mi maestra, Señora Downing, fue lo que me dio fuerza para continuar con mi formación. Empecé a sentir un torbellino de un cambio en mi interior y un proceso de aceptación acerca de lo que ocurría en mi nueva vida, aunque continuaba llorando en silencio. Mis esperanzas de la niñez se hicieron polvo y lo que ahora vivía se convirtió en rudeza pura. Me di cuenta que ya no era el mismo. La decepción me hizo más fuerte y estaba listo para conquistar ese mundo que se presentaba ante mí.

¡Tú no perteneces aquí, lárgate!

Te van a rechazar y eso sí que va a doler.

Así fue cómo mi mente de quince años de edad procesó todas estas experiencias. Cuando esos recuerdos llegan a mí, con la experiencia adquirida que hoy tengo, me doy cuenta que *la crítica y el rechazo es parte de la formación*. Aunque me sentía aislado debido al lenguaje, la cultura y la inseguridad, la dignidad me rescataba. El orgullo y la oportunidad de ser alguien en la vida me daba fuerza. Logré vencer traumas emocionales. Cuando era excluido de ciertos círculos, eso me hacía esforzarme aún más. Yo siempre tuve la opción de determinar cuánto y con cuánta fuerza me esforzaría.

Palabras simples

Yo no fui lo que se considera un buen estudiante y comencé a convertirme en un buscapleitos solo unas cuantas semanas después de haber ingresado a la escuela secundaria (High School). Mi formación no tenía bases sólidas; por lo tanto, mis posibilidades tendían a llevarme al fracaso. Puede que creas que, bajo mis circunstancias, el resultado lógico era el fracaso. Sentía que mi vida estaba preestablecida. Las personas que me rodeaban nunca habían logrado nada y probablemente eso era lo que me causaba tanto dolor interior. No había un modelo a seguir y mucho menos un guía. Trabajar en el campo era el tipo de vida que yo visualizaba para mí. *Trabajaría duro todos los días, por años, con la esperanza de financiar una casa y un carro —pensaba—. ¿De qué otra forma podría dar un giro a mi vida?*

La crítica y el rechazo es parte de la formación

Un sábado, mientras trabajaba recogiendo naranjas en el campo, con una temperatura helada que te calaba los huesos, otro trabajador de mi edad, dijo: —¿Sabes qué, Juan? De todos los que trabajamos aquí, tú eres el que está en la peor situación.

—¿Por qué? —pregunté sin sorpresa, presintiendo que ya sabía la dolorosa respuesta.

—¡Tal como lo ves! Yo trabajo aquí recogiendo fruta, pero al menos tengo a mis padres y un hogar para dormir, pero en tu caso, tu mamá te manda a trabajar para pagar cincuenta y cinco dólares a la semana por el alojamiento. No tienes en que caerte muerto y ni siquiera tu verdadero padre te reconoce. ¡Él ni sabe quién eres!

Esas palabras fueron como un hierro candente en mi corazón. Bajé la cabeza, seguí trabajando e intenté esconder mi vergüenza en silencio. Ese fue un momento crucial para mí. Lo único que yo sabía hacer era trabajar y trataba de proteger mi identidad. Lamentablemente, mis compañeros de trabajo en el campo provenían del mismo pueblo. Por lo tanto, podían darse el lujo de hacer comentarios hirientes de mi persona sin que nadie les pusiera un freno. Cuando pensaba en sus hirientes palabras mientras recogía los frutos, toda mi esperanza se desvanecía. Necesitaba una respuesta a esa pregunta que prevalecía en mi interior.

El siguiente lunes, llegué a la escuela y me acerqué a la maestra que me había dado la cálida bienvenida en el primer día de escuela.

—Señora Downing, ¿puedo hacerle una pregunta?

—Por supuesto, Juan.

Creo que había guardado esta pregunta en mi interior por muchos años. La vida me había enseñado a aceptar y a vivir los momentos difíciles como algo natural. Para mí, en ese saco de dolor que venía cargando en la espalda desde la más tierna edad, lleno de decepción, soledad, humillación y cero aceptación, no había cabida para la esperanza, porque el saco ya estaba desbordado. Mi realidad era que ese peso que yo sentía agrandándose día tras día me había llagado la espalda desde hace mucho tiempo, y esas heridas ya me habían tocado profundamente el corazón.

Me decidí y estaba preparado para aceptar cualquier respuesta que ella tuviera a bien darme.

Con la imagen de Mamá María en la mente, apreté los puños y sentí palpitaciones, pero hice la pregunta: «Señora Downing, ¿cree usted que yo pueda llegar a ser alguien en la vida?»

Capítulo DOS

Aprender a tener un mentor

—¿Usted verdaderamente cree que puedo llegar a ser alguien en la vida?

Simplemente necesitaba escuchar y sentir que esa respuesta— sin importar cuál fuera—me liberaría de la incertidumbre, de la inseguridad que me acompañó desde niño. Sentí en mi interior que, a partir de esa respuesta, tendría—por primera vez—la certeza de qué camino seguir. A lo mejor podría matar el último resquicio de esperanza que iba extinguiendo de poco a poco en mi corazón.

La Señora Downing se inclinó a la altura de mis ojos y expresó: «Juan, pon atención y mírame a los ojos. Tú puedes ser todo lo que quieras, siempre y cuando, tengas la voluntad de trabajar en ello».

Sus palabras despertaron un sentimiento desconocido en mí. Por alguna razón, me atreví a seguir la conversación. —Lo que quiero saber, Señora Downing, es si usted, verdaderamente ve algo especial en mí. ¿Cree usted que yo verdaderamente pueda ser alguien? —interrogué con humildad y timidez.

—Puedes ser lo que quieras ser, si te esfuerzas.

—¿Está usted segura? —pregunté de nuevo, para estar seguro de su respuesta. Ella me dio un abrazo.

—Por supuesto que estoy segura, ¿qué es lo que quieres ser?

Quedé sorprendido de tener tanta seguridad de mi respuesta, que salió de forma tan natural de mi interior. Esa conversación me condujo a algo que estaba muy dentro de mi corazón, un lugar al que yo no había podido acceder: mi propio ser.

—Solamente deseo ser un maestro como usted.

La Señora Downing fue mi único modelo a seguir, pero el deseo de ayudar a la gente, cómo ella me ayudó a mí, estaba creciendo en mi interior.

Solo dos días antes de esta conversación con la Señora Downing, mi amigo del campo me recordó mi brutal realidad; pero para ese momento, algo en mí se había fortalecido y ya no había cabida para dejarme ser atrapado por la desesperación y la vergüenza. Mi interior acababa de recibir una buena dosis de fortaleza.

Comencé a visualizar un mejor futuro para mí y ese sentimiento renovador y reconfortante fue una emoción única y nunca antes sentida.

Tiempos de cambio

—Por lo tanto, ¿qué necesito hacer para llegar a ser maestro como usted, Señora Downing? —insistí.

—Bueno, supongo que tendremos que removerte de todas las clases de inglés como segunda lengua y ponerte en clases regulares. ¿Qué te parece si empezamos a capacitarte para que logres entrar a la universidad?

Esto sí que fue sorpresivo. —¿Necesito ingresar a la universidad?

—Si quieres convertirte en maestro, necesitas acudir a la universidad —declaró la Señora Downing en un tono de sabiduría. Por lo tanto, comenzamos a planear mi cambio de las clases de ESL a las clases regulares para mi segundo año. ¡Me quedaban unos cuantos meses para hablar inglés con fluidez!

Una carga pesada

Utilizaba el dinero que ganaba en el trabajo del campo para adquirir algunos libros: Un diccionario en inglés y otro en español, una guía para traducir y un diccionario de sinónimos y antónimos. Cuando estaba pagándolos en la caja, me di cuenta que en mi mochila no cabrían mis libros de texto, más los nuevos diccionarios, así que decidí comprar un par de mochilas baratas para cargarlos. Una mochila con la imagen de Garfield y otra con la del Pato Donald.

Por los siguientes meses, llevé a las espaldas dos mochilas a la escuela. Cuando el maestro decía algo que yo no entendía—lo cual sucedía frecuentemente—intentaba rápidamente buscar la palabra en alguno de los montones de libros que tenía sobre el escritorio. Estoy segur de que mis compañeros se divertían conmigo al observarme.

Perseguí la meta de convertirme en maestro con la misma clase de determinación y trabajo duro que había aprendido en mi infancia. El esforzarme no era una opción, era simplemente el medio para una vida mejor, cuya perspectiva se abría ahora para que yo pudiera lograrlo.

Necesidades y sueños

El haber crecido en una choza de un solo cuarto mantenía mi mente ocupada en una sola cosa: necesidades.

Las vidas de mis abuelos, amigos y vecinos eran simples. Cuando era pequeño, despertaba cada mañana preguntándome qué habría de comer ese día, así que cada día me enfocaba en el trabajo que debía realizar para simplemente sobrevivir.

Sin embargo, los sueños eran una experiencia nueva para mí a mis quince años de edad. Estaba vislumbrando un mundo maravilloso que día a día se me hacía más cercano y fácil de alcanzar. Quizá sea difícil para ti imaginarlo, pero yo nunca antes había estado en un ambiente donde la gente hablaba de sueños y metas. Aparte de aprender una nueva lengua, la abundancia de grandes aspiraciones fue la gran diferencia que encontré en los Estados Unidos. Por primera vez, mi corazón albergó un sueño que me pertenecía solamente a mí y era un sentimiento que me liberaba del temor, un antídoto para antiguos pesares.

En el momento en que me aferré a mi sueño, adquirí la capacidad de tomar decisiones que, aunque fueran difíciles, yo las encontraba fáciles. Mi sueño de convertirme en maestro me dio la fuerza para dar un salto fuera de mi zona de confort.

Algo más ocurrió: Empecé a enamorarme de las palabras y de sus significados. Tenía hambre de aprender y en la soledad en que me encontraba, mis libros fueron mis compañeros y aliados.

Por lo tanto, me dije: «Okey. Tengo que aprender inglés. Tengo dos opciones: juntarme con muchachos que hablen español o hacer nuevos amigos que hablen inglés». Por supuesto que cuando los jóvenes están en la preparatoria, la mayoría de ellos ya pertenecen a un cierto grupo y es difícil introducirse en esos grupos, especialmente cuando solo sabes unas cincuenta palabras en su idioma. Necesitaba un plan de acción.

Robert era el muchacho menos popular de la escuela (aunque de hecho, creo que el primer lugar lo llevaba yo; pero gracias a Dios, estaba tan enfocado en mi nueva estrategia que no me importaba). En mi opinión, Robert era un clásico «nerd», lo cual debe sonar irónico viniendo de un tipo que usaba dos mochilas.

Todavía recuerdo cuando me acerqué a él en el comedor. —*«Hello! You and me friends?»* («Hola, ¿tú y yo amigos?»)

—*What?! Shut up!* (¿Qué dices? ¡Cállate!) —respondió Robert molesto.

—*Okay. Me learn English* (Yo aprender inglés).

—*Shut up!* (¡Cállate!)

Después de repetir esta invitación por unos cuantos días, Robert finalmente dijo: «Está bien, solo siéntate y come», y nos hicimos amigos. Cuando mis pensamientos vuelan al pasado, me doy cuenta que la determinación y resistencia al rechazo me sirvieron muy bien, tanto en la escuela como en los negocios.

Después de la escuela, durante los días en los que raramente no estaba trabajando, iba a la casa de Robert. Nuestros calendarios sociales estaban muy abiertos. Robert me ayudaba con la tarea y me enseñaba nuevas palabras. Después, veíamos caricaturas juntos—sobre todo *The Simpsons*—pero esto también era parte de su plan para ayudarme a aprender. Ponía el show en el televisor, con el texto de los subtítulos en inglés.

—Okey, Juan. Quiero que leas las palabras en la televisión. Sólo repite como perico para que trabajes en tu pronunciación.

Robert era un excelente tutor. No mostraba piedad acerca de mi vocabulario y pronunciación y le encantaba corregirme. Era una relación de ganar o ganar. ¡Yo tomaba un curso rápido de inglés y él colmaba toda su irritación social sobre mí!

De una manera extraña, éramos buenos amigos. La tutoría de Robert continuó por dos años más. Nunca hubiera podido graduarme de la escuela secundaria sin su ayuda paciente y generosa.

El día de la graduación

Faltaban unos cuantos días para la ceremonia de graduación. Una noche, mamá me llamó a la sala y nos sentamos para sostener una charla.

—En este país, Juan, cuando los muchachos cumplen dieciocho años, deben mudarse. Necesito que encuentres un lugar para vivir y necesito que lo hagas mañana.

Quedé devastado. Una puñalada más. No podía creer que después de solo tres años y medio, ella me estaba pidiendo que me fuera de su casa. A esas alturas, yo no sabía que esa era la costumbre para los jóvenes en los Estados Unidos: pedirles que dejaran la casa paterna después de la graduación.

Sin decir una sola palabra, fui a mi cuarto en el garaje y empecé a llorar como un niño. No había llorado de esa manera desde el día que mamá llegó a la casa de los abuelos para traernos a mí y a mí de México a los Estados Unidos.

En lugar de celebrar mi meta de graduarme de la *'High School'*, me encontraba en medio de un dilema, un nuevo reto relacionado con la adultez.

La fiesta

Una costumbre con la que yo no estaba familiarizado era la de tener una fiesta de graduación, puesto que nunca me habían celebrado alguna graduación.

Cuando la Señora Downing me preguntó cómo planeaba celebrar mi graduación, simplemente encogí mis hombros.

—¿No vas a celebrar, Juan? —preguntó y ante mi falta de respuesta, ella exclamó— Entonces, tendremos una fiesta en mi casa.

De esa forma, celebré mi graduación junto con mi primera guía y tutora, la Señora Downing, algunos otros maestros y una chica de mi clase. Fue un momento agridulce. Me sentía muy orgulloso de mi logro, pero mi sueño de inscribirme en la universidad se había evaporado. Necesitaba encontrar un lugar para vivir y un trabajo de tiempo completo para pagar renta y alimentos.

Mientras estábamos inmersos en la tarea de limpiar después de la fiesta, la Señora Downing me preguntó: «¿A qué colegio o universidad te inscribiste?»

Sentí temor de contestar a esa pregunta. Le expliqué mi situación y la decepcionante decisión de no inscribirme en la universidad.

Con una mirada penetrante, me recordó aquella pregunta crucial en mi primer año. Me observó atentamente y expresó: «Vas a ir a la universidad y punto. ¿Recuerdas lo que me dijiste hace tres años? Me dijiste que deseabas ser alguien en la vida. Por lo tanto, irás a la universidad».

La confrontación puede ser una expresión de compasión pura.

—Señora Downing, no tengo dinero, no tengo el apoyo de nadie y tengo que trabajar.

—Eso no importa. Puedes trabajar e ir a la universidad al mismo tiempo. El próximo lunes en la mañana, iremos los dos para que te inscribas.

Cuando crees de verdad que algo va a beneficiar a una persona, está bien ser autoritario. De hecho, *la confrontación puede ser una expresión de compasión pura*. No soñaba con ingresar a la universidad. ¿Cómo puedes soñar o pensar en algo que ni siquiera conoces?

Al siguiente día, encontré un lugar donde quedarme. Viéndolo desde un punto de vista positivo, era un apartamento y no una casucha; y del punto de vista negativo, tenía algunos compañeros de cuarto—dieciséis para ser exacto. Todos éramos trabajadores del campo. El olor en el apartamento era mi llamado para despertar y despabilarme para volver a trabajar por mi sueño de convertirme en maestro.

El lunes por la mañana, la Señora Downing ya estaba allí frente al apartamento, tocando a la puerta y mostrando autoridad con su voz. —¡Juan, súbete al carro y vámonos!

Yo ya estaba vestido y listo. Condujimos hacia Kings River Community College. Nos estacionamos y ella revisó el catálogo de cursos. ¡La Señora Downing ya había seleccionado las clases correctas para mí!

Me brindó su guía para inscribirme y me dio un *'tour'* por el campus mientras me instruía: «Aquí está tu primer salón de clases. Recuerda llegar a tiempo». Nadie en mi familia había ido al colegio. Este lugar me pareció como un país extraño en el que ella fue mi guía y mi salvación.

—Okey, Juan. Estas son las doce unidades que vas a tomar este semestre y tenemos que asegurarnos que cumplas con todos los requisitos de preparación para que puedas trasladarte a la universidad Fresno State en dos años.

Me registré, con su valiosa ayuda, y pagamos unos sesenta dólares por el semestre. Su firmeza, su conocimiento y su forma de conducirse era todo lo que yo necesitaba para poder procesar todos los cambios por los que había pasado en los últimos días.

Gracias también a mi amigo Robert, me mantuve en las clases con buenas notas. Sí, Robert se unió conmigo en Kings River, pero esta vez era yo quien lo atormentaba. Quería asegurarme de que tendría a alguien que me ayudaría a navegar en ese mar embravecido que era un nuevo mundo de clases de filosofía y pensamiento crítico. Había trabajado duro, pero me resultaba difícil conquistar el idioma inglés.

Durante el segundo semestre del *'Community College'*, tomé dieciséis unidades, luego dieciocho en el cuarto, y veintiún unidades para el semestre final. Mi tiempo se dividía entre mi trabajo, el colegio y las horas que dedicaba a estudiar en casa; por lo tanto, mi vida social estaba reducida a cero.

El factor dinero y la competencia

Después de dos años, me gradué con un *'Associate's Degree'* (grado de asociado) y suficientes unidades para poderme transferir a la universidad Fresno State.

A pesar de que la matrícula no era costosa, me aconsejaron que solicitara ayuda financiera. No recuerdo a ciencia cierta las diversas formas y solicitudes que tuve que llenar para obtener la beca. No obstante, ¡un día recibí en el correo un precioso cheque por seis mil dólares!

¡Nunca había visto en mi vida un cheque tan jugoso! Por lo tanto, hice lo que cualquier estudiante insensato de universidad haría: ¡Gasté casi todo el dinero en un carro deportivo—brillante y bellísimo—un Camaro Z28 de color blanco!

¡Mi primer auto! El sueño hecho realidad de cualquier muchacho, sobre todo de uno que provenía de una pobreza ingente. Hice planes mentales de todo lo que podría disfrutar en mi Camaro blanco. Me imaginaba al volante y en esa ensoñación, me imaginaba paisajes de todos los lugares hermosos que podría conocer. Mis sueños y mi imaginación no tenían límite de tiempo para disfrutarlo, pero la ingrata realidad sí. Lo disfruté solamente un mes y luego un día desperté con la sorpresa de que me lo habían robado.

Puesto que en mis circunstancias solo contaba con el seguro básico, no recibí ningún reembolso por el robo. Muy pronto, después de semejante frustración, llegó algo más en el correo: una cuenta del colegio. Se suponía que yo usaría los seis mil dólares en la matrícula, libros y renta. Durante ese tiempo, la universidad aceptaría pagos tardíos en el semestre.

Era el momento de otra nueva estrategia

Después de que me robaron el carro, tuve que ser creativo para generar algún tipo de ingreso y poder sostener mis estudios. Al igual que yo, un conocido mío estaba en las mismas circunstancias, pero a diferencia mía, él tenía una camioneta pickup y este hecho fue el que iluminó mi mente con una idea.

—Mira —le dije— tú pones el vehículo y yo pongo la fruta. Lo único que necesito es un aventón al valle de San Fernando. Saldremos el viernes por la noche, venderemos la fruta y regresaremos el domingo.

Fue un '*done deal*' (trato hecho). Ahora solo faltaba un pequeño detalle: la fruta. Le pedí a unos amigos que eran trabajadores de campo que me consiguieran fruta, pero no fue suficiente. Por lo tanto, durante la noche, yo regresaba a los campos donde había trabajado y cortaba algo de fruta de los árboles. En este momento en que narro esto, todavía me sacude el temor que sentía de fracasar; pero eso también es parte de mi historia y no puedo dejarlo de lado para solo contarte lo que me parezca «digno» de contar. Cuando los recuerdos de aquellos días acuden a mi mente, siento la turbulencia que vivía, pero después de tanto tiempo, algunas de estas memorias me parecen un poco divertidas.

Después de media noche y en cuanto cargábamos la fruta en la camioneta, empezaba nuestra jornada hacia el valle de San Fernando. En el camino, hacíamos una parada en algún supermercado y comprábamos bolsitas para poder empacar nuestros productos para venta individual. Al llegar al destino, buscábamos algún complejo de apartamentos. Allí nos estacionábamos y esperábamos la salida del sol para empezar a vender.

Tal como dije, el temor de fracasar me sacudía, pero por la gracia de Dios, puedo mirar el pasado y ver como Él usó esta experiencia para moldearme.

Cuando el sol salía y la gente comenzaba a pensar en el desayuno, yo tocaba puertas vendiendo las bolsitas de fruta por un dólar. Mi meta eran trescientos dólares por día. Por lo tanto, debía tocar un montón de puertas. Probablemente tocaba hasta mil puertas en un fin de semana. Terminaba cansado.

Yo creo que esta etapa fue en la que desarrollé la resistencia al rechazo por parte de las personas. Estos viajes de fin de semana de «venta directa» también fortalecieron otras áreas de mi personalidad y mi propia vida.

Después de unos cuantos meses de ir a San Fernando todos los fines de semana, algunos vándalos empezaron a robar nuestra fruta mientras dormíamos. No teníamos el dinero para pagar un hotel. Dormíamos en la camioneta para vigilar la fruta. Estábamos tan cansados que un día dormimos tanto que cuando despertamos, no había fruta en la camioneta. No había inventario para vender. De esa manera, terminó mi aventura como vendedor ambulante.

Aprendí algunas lecciones acerca del dinero. Me di cuenta que hay solo dos cosas que podemos hacer con el dinero: gastarlo o invertirlo.

El siguiente año en la universidad Fresno State, recibí una beca del estado de California para chicos que provenían de padres que no fueron a la universidad, pero en esta ocasión, sí pagué mi matrícula de inmediato y no compré ningún carro hasta que me gradué.

A tomar las cosas en serio

Cuando me encontraba en la etapa del proceso de graduación para recibir mi licenciatura (*Bachelor's Degree*), mi mentora estaba allí en la graduación. La Señora Downing asintió de forma aprobatoria y aplaudió cuando pasé a su lado para tomar asiento. Por fin contaba con el equipo requerido para convertirme en maestro.

Y sí, hubo una fiesta de graduación en su casa esa noche.

Me convertí en una especie de historia de éxito para la Señora Downing de la que ella platicaba a otros estudiantes cuando los alentaba a que fueran a la universidad. La mayoría de mis compañeros provenían de hogares disfuncionales y la mayoría de sus padres no habían asistido a ningún tipo de institución.

Pero yo estaba a punto de sorprenderla...

—Mire, Señora Downing, no creo que me gustaría enseñar a un nivel de secundaria.

Su primera reacción fue de decepción y luego de curiosidad.

—¿Qué es lo que deseas hacer?

—Creo que me gustaría enseñar al nivel de un *Community College* (colegio comunitario).

—Bueno, para eso necesitas una maestría (*Master's Degree*).

—¿Qué? —reaccioné con asombro.

—Así es. Necesitas hacer tu solicitud para la escuela de posgrado (Graduate School). Por lo tanto, hice mi solicitud para el programa. Me aceptaron, terminé mi maestría en Literatura y me gradué con un «*Master's Degree*» de la universidad Fresno State.

El siguiente paso en la jornada era lograr mi doctorado (PhD). Algunas veces me pregunto qué hubiera pasado si la Señora Downing no me hubiese animado en mi primer año de *High School*. Debo compartir contigo que en mi adolescencia, yo no creía en mí mismo y el hecho que la Señora Downing me hiciera sentir que era capaz de luchar por mi sueño fue fundamental. Aún recuerdo cuando le pregunté si yo era capaz de sacar mi maestría y ella me dijo con firmeza: «*You can do it!*». *Si no crees en ti mismo, permite que alguien más lo haga.* No todo mundo tiene una autoestima saludable; por lo tanto, es importante permitir que alguien más crea en ti. Cuando me inscribí al programa de doctorado, le hice la misma pregunta y ella me contesto firmemente: «*You can do it!*».

Hice mi solicitud y me aceptaron en dos universidades: la Universidad de Utah en Salt Lake City y la Universidad de New York. Después de hablar con mi consejera, la Señora Downing, seleccioné la Universidad de Utah.

El maestro

Puesto que tenía algunos meses antes de que empezara el semestre, acepté un empleo de medio tiempo en una posición como maestro en la universidad Fresno State. Era un requisito para la mayoría de los estudiantes universitarios el tomar clases de alguna lengua extranjera; por lo tanto, empecé a enseñar Español 101, como profesor asistente.

Compré un portafolio y empecé a conducirme como un profesor. La instrucción era no sonreírle a nadie, especialmente el primer día de clases y ni mucho menos proyectar nerviosismo.

El primer día de clases, entre al salón, vi todas las nuevas caras y no sonreí. Bueno, casi todas eran caras nuevas. Excepto que reconocí a uno de ellos que me puso muy nervioso. Se me acercó y me preguntó si no lo reconocía. No lo miré a los ojos. Le pedí que habláramos después. Después de clase, se acercó de nuevo y dijo: «Esto no puede ser. Tú, aquel muchacho que no hablaba inglés, ahora eres mi maestro. No puede ser».

Si no crees en ti mismo, permite que alguien más lo haga.

¡Mi viejo amigo Robert ahora era mi estudiante! Habían pasado años desde la última vez que nos habíamos visto.

—¿Por qué dices eso, Robert? Estoy tan contento de verte.

—Juan, tú sabes todo acerca de mí y yo estoy tratando de empezar de nuevo aquí.

—Ahora que lo pienso, Robert, ¡tú también sabes todo acerca de mí! Entonces, tampoco le digas a nadie que me conoces.

Ninguno de los dos queríamos recordar al Robert que era un *nerd* y al Juan que no hablaba inglés. Los dos estábamos viviendo una nueva etapa. Hubo varias ocasiones después de clase en las que recordamos cuando me enseñaba inglés, especialmente cuando mirábamos las caricaturas de Bart Simpson.

Nuestra amistad de enseñanza se había convertido en un círculo completo. Robert me enseñó inglés y ahora yo le enseñaba español, pero ésta no fue la única sorpresa feliz en mi primer semestre dando clases.

Capítulo TRES

No dejes de soñar y ten confianza

Después de 10 años en los Estados Unidos, pasé por el proceso de aprendizaje de algo vital, la envoltura de oro de todo lo que había logrado hasta ese momento: el sueño de una vida mejor. A través del trabajo duro, finalmente entendí que verdaderamente se podría llegar a ser alguien en la vida. Con cada nuevo logro, mi seguridad y mi confianza crecían.

Una lección que aprendí, y que es la piedra angular que ha guiado mis acciones, es la importancia y el poder que hay en la guía de un mentor y la habilidad de seguir sus enseñanzas. Gracias a mis mentores, se abrió un nuevo mundo para mí. Cuando observaba a mis amigos que no tuvieron la humildad de seguir instrucciones de un mentor, veía que sus vidas iban a la deriva.

Desde que somos niños, buscamos el reconocimiento. Es decir, necesitamos que alguien nos distinga entre los demás, como consecuencia de nuestras características y habilidades únicas. El hecho de que alguien mencione nuestro nombre, ya sea porque nos reconoce por nuestros rasgos físicos o por las habilidades que nos caracterizan, es lo que nos da ese sentido de pertenencia. El hecho de que alguien sepa quiénes somos tiene que ver con nuestra identidad. Se define como identidad a las características que singularizan a una persona. Ya sea que un amigo tuyo sepa hacer pan y lo distingan como «Arturo, el panadero».

La gente busca el reconocimiento y esa es la necesidad natural de que nos identifiquen por nuestros rasgos y por lo que sabemos hacer. Lo que sabemos hacer nos genera una identidad. En mi formación, yo estaba en busca de una identidad y el convertirme en «maestro» llenó ese espacio. Después de unos meses de ejercer mi carrera, las personas que me conocían se referían a mí como el Profesor Ruelas.

Los jóvenes pueden perder tantas oportunidades si no escuchan consejos, pero lo mismo aplica a la gente en sus treintas, en sus cuarentas, ¡y hasta en sus ochentas!

Cuando abraces un sueño, sin importar la edad, ¡te darás cuenta rápidamente que necesitas ayuda! Es cuando necesitas asociarte con gente que es exitosa en el área del sueño que deseas consolidar como realidad; por ejemplo, lo que la Señora Downing representó para mí fue un modelo a seguir. Fue mi disponibilidad y el estar avispado a seguir la instrucción, pues de nada sirve tener orejas y no escuchar.

Algo que tuve que superar fue mi ego. Recuerdo cuando la Señora Downing me recordó que no dejara que mi ego me rebasara. La veía una vez a la semana en el colegio comunitario y una vez al mes cuando asistía a Fresno State, pero cuando ya estaba en el programa para la maestría, deseaba ser más independiente y creí que ya no la necesitaba más y empecé a someter a juicio el hecho de que otros colegas no se esforzaran para obtener su maestría. Cuando hablaba con ella, en vez de disfrutar de una buena conversación y seguir beneficiándome de su sabiduría, solía criticar a otros.

En realidad, fingía que lo sabía todo y olvidaba que mi logro era grandemente debido a la generosidad de otros. «Juan, no dejes que esto se te suba a la cabeza». Esas eran las palabras de mi mentora, la Señora Downing.

El crecimiento personal y el liderazgo son un proceso parecido al desarrollo de un árbol joven de cerezas, que necesita una estaca de madera para guiar su crecimiento. Cuando el árbol crece alto y empieza a dar frutos, la estaca parece tan insignificante que el árbol se olvida de ella y hasta le estorba. Cuando los seres humanos llegamos a la cima, frecuentemente olvidamos quién nos guio y quién nos apoyó.

Estaba teniendo éxito académico, gracias a la Señora Downing. Acepté que todo lo que aprende un ser humano proviene de otro ser humano. Un doctor produce a otro doctor, un abogado produce a otro abogado, un ingeniero produce a otro ingeniero, un panadero produce a otro panadero, etc. Estoy muy agradecido con las personas que me guiaron para llegar a ser maestro. Sin su aportación, no lo hubiera logrado.

Durante todos mis años de educación formal, aprendí a seguir una ruta e instrucción y a lograr metas. Esta manera de pensar y la fe fueron los ingredientes fundamentales. Fue de esta manera que fui aceptado por un programa de Doctorado en la Universidad de Utah después de haber terminado mi maestría.

Durante el doctorado, tuve la oportunidad de dar clases a candidatos de licenciatura y de maestría. En ese momento, tuve una revelación maravillosa: Yo era capaz de construir un camino para otros, basado en el aprendizaje.

Me sentía emocionado y feliz de estar a cargo de mi salón de clase y crear un sistema de calificación. Esperaba que los estudiantes tuvieran la voluntad de aprender, pero eran adultos jóvenes. Aparte, este grupo de estudiantes eran maestros de escuela preparatoria que estaban cumpliendo con un requisito.

Dicen que los doctores son los peores pacientes. Bueno, lo mismo pasa con los maestros. Podría decirte por experiencia que, en mucho de los casos, los peores estudiantes son los propios maestros. Yo estaba viviendo mi sueño, pero algunas realidades eran desalentadoras.

Durante esta etapa de profesor y estudiante, tuve la oportunidad de conocer y de casarme con Alicia. ¡Como un hecho muy positivo, ¡pronto dimos la bienvenida al mundo a nuestro primer hijo! La experiencia de tener un hijo me impactó más de lo que esperaba. Yo deseaba fervientemente que él no pasara por lo que me ocurrió a mí; que me conociera de todas las formas que a mí me fueron negadas de conocer a mi propio padre. Mi deseo más profundo era que él supiera que siempre contaría con mi amor y apoyo incondicional. Cancelé mi plan de terminar mi doctorado. Me mudé a Fresno donde ejercí mi carrera por varios años. Alicia ejerció en Tulare, California, a 45 minutos de Fresno.

En su primer día de trabajo en la secundaria, Alicia tuvo una experiencia sorprendente. Cuando llegó a nuestro departamento, compartió conmigo esa experiencia.

—Estaba sentada frente a mi escritorio, pensando: «¡Ya la hice! ¡Finalmente tengo el trabajo de mis sueños!» Sonreí pensando en el momento y entonces vino otro maestro a saludarme.

»Intercambiamos una plática amistosa y cuando se retiraba, él dijo de forma casual: —Si hay algo en lo que le pueda ayudar, avíseme. Le quedan cuarenta años antes de que pueda ser libre de un empleo y a mí solo me quedan doce.

»Repentinamente, sentí que el salón de clase se puso frio y me asfixiaba. ¡Necesito escapar de este trabajo!

Alicia quedó verdaderamente impactada con este encuentro y su reacción me sacudió.

Recuerdo nuestra rutina semanal en 1997. Nos levantábamos a las cinco de la mañana, alistábamos al niño, calentábamos el auto y colocábamos al bebé en su asiento dentro del carro. Alicia conducía 30 minutos hacia la casa donde cuidaban al niño y después de eso, conducía una hora a la escuela secundaria.

Dábamos clases todo el día. Teníamos reuniones después de clase. Luego recogíamos a nuestro hijo y finalmente, llegábamos a casa alrededor de las seis o siete de la noche.

Después de tres años de enseñanza, nuestro hijo empezó a llamar a la niñera «mamá».

—Tenemos a un hijo que ni siquiera estamos criando. ¡Voy a renunciar al trabajo! —expresó Alicia con frustración.

La tranquilicé.

—Recuerda que esto fue por lo que fuiste a la universidad. Además, trabajaste duro y tú eres la única en tu familia que logró graduarse. No abandones tu trabajo como maestra. Tus padres están tan orgullosos de ti.

Debo confesar que le dije todo esto porque mi ser estaba invadido de pánico. Tenía miedo de que dejara de trabajar, pues con mi salario no era suficiente. Sabía que no podríamos sobrevivir solo con mi cheque del trabajo y no deseaba que Alicia dejara de trabajar.

Despertábamos todos los días, teniendo el trabajo de nuestros sueños, pero seguíamos anhelando una vida mejor.

Tal vez te identifiques con lo que sentíamos. Se suponía que debíamos ser felices, pero no lo éramos. Nos sentíamos insatisfechos y buscábamos respuestas.

En busca de respuestas

Alicia y yo continuamos trabajando. Era lo único que sabíamos hacer.

A lo que me refiero es, ¿qué podría ser mejor que enseñar? La enseñanza es una profesión tan honorable. Si no hubiera sido por maestros tan solidarios y generosos como la Señora Downing, ¿dónde me encontraría en ese momento?

No era tanto la profesión como maestros, sino de cómo nos sentíamos acerca de esos roles. Cuando finalmente logras una meta, algunas veces te das cuenta que la jornada era más gratificante que el destino.

Nos sentíamos culpables por desear más, pero en nuestro interior, deseábamos más libertad, más tiempo para nuestro hijo y para nosotros mismos. Estábamos varados y deseábamos la libertad de la que nuestros trabajos nos habían privado. Habíamos elegido esa carrera y amábamos la enseñanza, pero nuestro matrimonio y vida en familia con nuestro hijo estaba, desde tiempo atrás, en peligro.

Nuestro hijo ya tenía dos años cuando un día, después del trabajo, estábamos cenando en la sala mientras veíamos televisión y empecé a hablar sin reservas.

—Alicia, ¿esto es todo? ¿Esta es nuestra vida? Casa-trabajo, trabajo-casa. Debe haber algo más, ¿verdad?

—Quizá —masculló Alicia—, pero no lo sé.

Algunas personas viven toda su vida sintiéndose atrapados y no saben qué hacer. Para mí, la respuesta a la situación es muy clara: pedir ayuda. Una noche, mientras conducía de regreso a casa tras una junta tardía en la escuela, mi mente era un torbellino de frustración. Decidí parar en el estacionamiento de una iglesia y pensar. Estaba oscuro y no había ningún otro auto alrededor.

Recordé mi primer año en la universidad Fresno State en el cual había sido invitado a las reuniones del *Campus Crusade for Christ*. Me daba vergüenza asistir debido a mi ropa barata, especialmente mis zapatos: eran zapatos de vestir, pero se veían de plástico. Sin embargo, y con honestidad lo reconozco, tenía hambre e iba cada semana por la pizza y lasaña que ofrecían.

Por lo tanto, me senté en ese estacionamiento a pensar y recordar. Empecé a hablar con Dios de la manera como yo sabía. También lancé algunos gritos y lágrimas. No había orado, en realidad, desde que era un niño. Deseaba estar más cerca de Dios, pero no sabía cómo hacerlo.

Después de unos quince minutos, sentí una gran paz y me vino un pensamiento: ¿Qué tal si leo la Biblia como si fuera un libro de estudio? ¡Tenía muchísima experiencia con los libros de estudio!

Esa noche, una tenue luz se fue expandiendo hasta convertirse en una claridad prístina que inundó mi corazón y me estremeció. Sentí un hambre nuevo por Dios; la Biblia abrió un nuevo horizonte, pleno de esperanza para mí. Me puse una meta fascinante: Leer la Biblia.

La búsqueda

Unos cuantos días más tarde, estaba leyendo el libro de Mateo. En Mateo 7.7, Jesús decía: «*Pidan, y se les dará, busquen, y encontrarán, llamen y se les abrirá*». *(RVC)*

Él prometió que cualquiera que pida, recibirá; aquéllos que busquen, encontrarán y para los que toquen, las puertas se abrirán. Sorprendente.

Puesto que estaba estudiando estas palabras como si fueran parte de un libro de texto—lenta y cuidadosamente—las promesas alimentaron mi pensamiento. Por lo tanto, la siguiente oración en esta escritura verdaderamente dio en el blanco.

«*¿Quién de ustedes, si su hijo le pide pan, le da una piedra? ¿O si pide un pescado, le da una serpiente? Pues si ustedes, que son malos, saben dar buenas cosas a sus hijos, ¡cuánto más su Padre que está en el cielo dará buenas cosas a los que le pidan!*» *(Mateo 7.9–11 RVC)*

Todo esto parecía demasiado simple y bueno para ser verdad. Solo se trataba de fe y persistencia en la oración a un Padre amoroso. Yo era capaz de hacer eso. Decidí experimentar y la esperanza hizo su aparición.

La fe en Dios se hacía sólida. Creo que hay un tiempo para la mayoría de la gente en el que deciden adueñarse de su fe. Yo ahora oraba y pedía en secreto.

Cuanto más abría mi corazón, más crecía mi deseo por una vida mejor.

Puesto que Jesús también dijo que deberíamos orar «en secreto», hice todo lo posible por seguir el texto—incluso al punto de pasar mucho tiempo en el cuarto de baño. Alicia tocaba a la puerta y preguntaba: «Juan, ¿por qué estás tardando tanto?» Después de todo, vivíamos en un apartamento con una recámara y un baño.

Alrededor de ese tiempo, el hermano de Alicia compró una casa y nos ofreció rentarnos una habitación; por lo tanto, decidimos mudarnos con él.

Después de otro año trabajando y orando, nos llegó la respuesta a nuestras oraciones, pero no la reconocimos de inmediato, como a veces suele suceder.

Una noche, sonó el timbre. Abrí la puerta y vi a dos jóvenes con trajes oscuros, camisas blancas y corbatas rojas. Me preguntaron por Esequiel. Les pregunté qué deseaban, pues Esequiel era mi hermano y estábamos viviendo con él de forma temporal. Uno de ellos dijo: «Hey, creo que te conozco. ¡Fuimos juntos a la misma escuela secundaria!». Tenía razón.

Después de una breve pausa, él continuó:

—He venido a presentarle una oportunidad de negocios a tu hermano para hacer dinero extra, pero puede que también a ti te interese».

—Bueno, ¿cuánto más dinero extra? —interrogué.

—Dos mil dólares al mes —declaró él.

—Yo gano esa misma cantidad de dinero ahora —respondí con seguridad.

—Bueno. ¿Qué tal cuatro mil dólares al mes? —me retó.

Empecé a divertirme con este intercambio. —Bueno, mi esposa también es maestra, por lo tanto, entre ambos ya ganamos eso.

Este joven bien vestido respiró profundo y dijo: —Bueno, ¿te interesaría ganar, entonces, diez mil al mes?

—Pasa, por favor. Te escucho.

Escuchamos la información, pero después de que estos jóvenes se marcharan, yo aún estaba escéptico.

—*¿Por qué no solamente ir a la tienda y comprar estos productos?* —me pregunté.

—¡Es una oportunidad para un mejor trabajo, Juan, una vida mejor! —afirmó mi hermano.

Mira —respondí refunfuñando—, los trabajos no llegan a tu casa y te tocan a la puerta. Tú tienes que salir a buscarlos.

—Mira, Juan —intervino Alicia, con su tono de sabiduría—, tienes que entender que vivimos en una sociedad que está atravesando un cambio en la manera que la gente compra artículos y cómo se distribuyen los productos. Piensa en ello. Cuando quieres pizza, ¡solo llamas y llega a la puerta de tu casa! Este es el futuro.

Ella empezó a explicar el hecho de que este negocio no era tan riesgoso, puesto que estos eran artículos que ya adquiríamos.

Sin embargo, ambos compartíamos también algunas preocupaciones. Nuestros horarios ya eran de largas horas y no deseábamos estar aún más lejos de nuestro pequeño hijo de lo que ya estábamos.

Unos cuantos días más tarde, estos mismos jóvenes nos invitaron a una reunión de negocios. Recuerdo que su invitación me pareció tan extraña. Insistieron en pasar a recogernos por nuestra casa y conducirnos a la reunión. No fue hasta muchos meses más tarde que me di cuenta de la estrategia detrás de este servicio de transporte.

Alicia y mi hermano insistían en conducir ellos mismos y lo hicieron. Yo me sentí feliz de quedarme en casa con mi hijo y dejarlos investigar si esta oportunidad valía la pena el invertirle tiempo.

Alicia volvió de la reunión muy emocionada acerca de lo que escuchó. La idea de reemplazar su trabajo esclavizante por un negocio que ella pudiera construir desde la casa la había cautivado. También conoció a una madre de tres niños que estaba manejando su negocio y maternidad de una forma eficiente.

A medida que Alicia me explicaba el negocio, se detuvo de repente e hizo una pausa—algo importante le vino a la memoria. Recordó que su hermana Verónica la había llamado hace algunos años y le había dicho algo acerca de una oportunidad similar, y recordó haberla escuchado muy emocionada acerca de esa «oportunidad de negocios». En aquel entonces, Alicia estaba enfocada en la escuela y nunca volvió a pensar en ello.

Sin embargo, ahora sentía curiosidad de si era el mismo negocio, por lo tanto, llamó a Verónica en ese mismo momento, olvidando un pequeño detalle: eran como las 2 de la mañana en Maryland, donde su hermana vivía.

—Verónica, solo quiero preguntarte algo... Sí, sí, estoy bien. Hace mucho tiempo, me llamaste para decirme acerca de un negocio de productos. ¿Esto en verdad pasó? —Y rápidamente le platicó acerca de la reunión.

—Ahhh, muy bien... Gracias —Alicia terminó la conversación después de un minuto.

—¿Qué dijo? —interrogué interesado.

—Dijo que está bien. ¡Solo hazlo! Creo que estaba dormida.

Alicia me pidió que fuera con ella a las reuniones cada semana, por cuatro semanas, y cada semana me negaba, pero ella y mi hermano menor continuaron yendo y su entusiasmo seguía creciendo...

Una noche, Alicia me despertó. Sí, a veces pasa cuando hay algo relevante en su mente. «¡Juan, en verdad quiero que vengas a la próxima reunión! Te va a gustar. ¡Ya verás, Juan!»

Finalmente, accedí: «Está bien, iré contigo a la próxima reunión».

La siguiente mañana, me pregunté si esa conversación realmente había sucedido o si solo había sido un mal sueño.

Capítulo CUATRO

Aprender de las acciones

Después del trabajo, fui a la casa a comer. Conseguí un cuaderno para tomar apuntes y fui a la reunión. Como maestros, acostumbrábamos asistir puntualmente a las reuniones. Llegar a tiempo era importante. Llegué a la hora exacta que se me pidió. Lamentablemente, la reunión comenzó una hora después. Eso me hizo sentir escéptico. Además, las personas decían porras y aplaudían por casi todo. No creo que estaba preparado para esa escena, pero me guardé muy bien de mencionarlo.

Lo interesante era que el salón estaba lleno de gente y además, todos parecían estar muy contentos y riéndose. Yo me preguntaba: «¿Qué clase de negocio es éste? Aplauden mucho, ríen mucho y ni siquiera guardan silencio o acaso no toman las cosas en serio». Eso pensé en mis adentros, pero quise ser positivo y mantener una mente abierta. De cualquier manera, ya estaba allí.

Al final de la presentación, finalmente entendí lo que se había estado diciendo y el concepto de negocio empezó a tomar sentido en mi pensamiento.

El día siguiente, llamé a uno de los jóvenes que nos habían mostrado el negocio y le dije: «¡Estamos listos!». Él y su esposa nos pidieron que acudiéramos a su casa. Cuando llegamos, no tenían alguna solicitud o un kit de introducción. Durante esos días, suscribirse era más complicado y costoso.

Por tres semanas, les llamé casi todos los días para inscribirnos oficialmente. Nos preguntábamos si deseaban que nos uniéramos al negocio. Finalmente, tuvimos frente a nosotros el papeleo y nuestra primera caja con los maravillosos productos.

Ya éramos dueños de un negocio independiente, pero no sabíamos lo que enfrentaríamos. Todo lo que yo sabía era que necesitábamos un plan para crecer. Encontré un mapa de los Estados Unidos como herramienta para emprender nuestra nueva jornada. Recuerda que estoy hablando del año 1998, mucho antes de los mapas disponibles vía Internet y los teléfonos inteligentes.

Aún recuerdo, como si fuera ayer, buscando en el mapa y diciendo: «Dios mío, este país es tan grande. ¡Si pudiéramos desarrollar un equipo de 50 personas en cada estado, seríamos millonarios!». Así es como yo veía el negocio por todo los Estados Unidos.

Por supuesto que todavía necesitábamos patrocinar a la primera persona, ¿pero qué tan difícil podía ser?

Familia y amigos

Empezamos nuestro negocio con base en nuestro hogar, de la misma forma que la gente lo hacía en aquel tiempo. Simplemente contactando familiares y amigos.

La emoción fue efímera, porque al final del primer mes, todos habían respondido: «No, gracias».

Haciendo memoria, los resultados fueron exactamente los que hubiéramos esperado. No teníamos entrenamiento en negocios y ningún entendimiento de las objeciones que la gente compartía con nosotros.

En cualquier ambiente de negocios, surgirán las objeciones. Todas esas objeciones son válidas y son una parte positiva del proceso. Las objeciones significan que hay participación y conversación. El problema era que no sabíamos qué respuesta dar a esas objeciones de una forma que fuera de beneficio para la persona con la que hablábamos.

Cuando escuchábamos «no», nos encogíamos de hombros y seguíamos adelante. ¡El patrocinar puede ser un juego de números, pero cero por cero siempre dará cero!

Después de tres meses en el negocio, asistimos a lo que los líderes de la organización llaman una convención. Si las reuniones locales a las que acudíamos detonaban mucho ánimo y entusiasmo, este evento en Texas estuvo fuera de serie.

Observamos a gente exitosa caminar por el escenario en medio de multitudes que les aplaudían y nos preguntábamos: ¿Qué clase de habilidad especial tiene esta persona que nosotros no tengamos?

Hubo una número de respuestas válidas a esta pregunta, pero algo que nosotros teníamos era una ética de trabajo infatigable.

Escuché historias de éxito increíbles y la energía en el sitio era contagiosa. *Supongo que este negocio funciona* —me decía.

De regreso a Fresno, fuimos inmediatamente a ver a uno de mis hermanos. Eran como las once de la noche. Sin ningún entrenamiento de cómo contactar a alguien, llegué a su casa.

—¡Mira, acabo de venir de una convención y nos vamos a hacer ricos! Por lo tanto, ¡te harás rico conmigo, si te unes conmigo en el negocio!

Esta afirmación fue una exageración, pero logré despertar la curiosidad de mi hermano y que me prestara atención mientras le mostré el plan de negocios.

—Okey. Lo que sea —respondió.

—Mira, te voy a patrocinar en nuestro negocio.

—Está bien. ¿Qué tengo que firmar? Porque tengo que volver a dormir, pues mañana trabajo muy temprano —dijo bostezando.

Mi hermano se asoció. Por lo menos no se burló de nosotros como el resto de nuestros amigos y familiares lo habían hecho.

Cuando finalmente regresamos a casa, completamos su solicitud para ingresar al negocio. Quizá fue solo la experiencia de llenar el papeleo, pero aun cuando lo patrocinamos (¡fue nuestro primer patrocinado!), tuve la certeza en el corazón de que todo nuestro esfuerzo nos redituaría un beneficio.

Y pronto ocurrió, pero no de la manera que esperábamos…

Un mes después, mi hermano habló con mi mamá. Le dijo acerca del negocio y ella lo desanimó en tres minutos.

Mi hermano renunció. Volvimos a la cuenta regresiva: cero.

Personalidades y problemas

Comenzamos a contactar personas en Visalia, California, pensando que los extraños le darían la bienvenida a nuestra presentación. Durante varias semanas, desarrollamos un grupo de por lo menos 20 personas que se notaban interesadas en la oportunidad de ganar dinero con su propio negocio.

No obstante, hay una gran diferencia entre el interés y la acción—subjetividad y objetividad. Se podría decir que yo no estaba equipado para tratar con el lado humano del negocio.

Desde un punto de vista académico, yo era capaz de presentar hechos, dibujar gráficos y hacer la matemática, pero no tenía el conocimiento del manejo humano. La variedad de «los problemas de la gente» derivaban entre baja autoestima, falta de compromiso, mentiras, críticas entre el grupo y algunas veces, integridad cuestionable.

Algunos inclusive estaban enfrentando presiones económicas y problemas matrimoniales.

Empecé a darme cuenta, por muchas razones, de que yo era como estas personas antes de que me comprometiera a mi meta de obtener una mejor educación. En el proceso de ponerme la meta y el cumplimiento de la misma, mi confianza lentamente fue creciendo. Aprendí a enfrentar retos muy duros y a reconocer el valor de la honestidad. Gracias a Dios, la relación con mi madre también se fue fortaleciendo en el proceso.

Yo pensaba que una vez que presentara el plan de negocio, la gente entendería lo que debía hacer—y lo haría. ¡Nunca imaginé que las otras personas serían tan ciegas como yo lo fui frente a una mina de oro!

No era perfecto; es más, ni me acercaba a la perfección. Pero era una persona totalmente diferente al chiquillo confundido de quince años que había llegado a los Estados Unidos tanto tiempo atrás. Me encontré ante la misma necesidad humana que al principio: maestros y mentores pacientes y solidarios para crecer.

Me di cuenta de que podría influir en las vidas de las personas en nuestro negocio. Después de todo, ¡éramos maestros! Creo que por eso Dios me guió a convertirme en maestro en primera instancia.

Empecé a redefinir el significado de éxito en la etapa inicial del negocio. *Decidí considerar que agendar una cita, contactar a alguien o dar una sólida presentación representaría éxito.*

Me enfoqué en hacer bien las «cosas pequeñas». Los pequeños triunfos en el ser, el quehacer, y las relaciones se multiplicarían hasta producir logros notorios para el grupo.

Me enfoqué en hacer bien las «cosas pequeñas». Los pequeños triunfos en el ser, el quehacer, y las relaciones se multiplicarían hasta producir logros notorios para el grupo.

Volví a darle un vistazo al mapa de los Estados Unidos, especialmente al estado de California y dije: «Okey, vayamos al norte». Empezamos a concentrarnos

> **Decidí considerar que agendar una cita, contactar a alguien o dar una sólida presentación representaría éxito.**

en San José y Salinas, California. Fresno, nuestro patio trasero, se mantenía bajo cerrojo para nosotros. Lo único que sabíamos, por nuestra experiencia, era que allí la palabra era «no».

Por segunda vez, fuimos a otra convención y nos presentamos con una comitiva de cero asociados. Una vez más, la experiencia de estar alrededor de gente entusiasta y exitosa fue inspiradora.

Limpieza y avance

Era el momento de dar vida a nuestra nueva estrategia de crecimiento y Salinas, California era el lugar para empezar. Aunque yo estaba todavía enseñando en una escuela secundaria, me comprometí a construir el negocio.

Mi enfoque era simple: Deseaba hablar con las personas que estuvieran en la búsqueda de una vida mejor y con personas que no nos dieran la espalda o nos cerraran la puerta en la nariz.

Por supuesto, ¡fuimos a las lavanderías! Sí, esos lugares están llenos de lavadoras y secadoras, así como también de gente que te mira con desconfianza y nunca se ríe.

Las personas creían que pertenecíamos a algún culto, pero al menos cuando escuchaban acerca del negocio, se sentían aliviados de que no intentásemos convertirlos. La realidad es que sí intentábamos convertirlos ... pero en seres humanos con una mejor calidad de vida.

Con toda seriedad, intentábamos enseñarle a la gente a creer que la vida ofrece muchas más cosas que un empleo y darles la oportunidad de crecer financieramente y como seres humanos. Finalmente, después de unas semanas de sudor intenso en esas lavanderías y en otros lugares, tuvimos nuestros primeros patrocinados. Estábamos exhaustos, pero finalmente nuestro esfuerzo y trabajo parecían dar frutos.

Aprendizaje y enseñanza en el comercio

Yo tenía un «*Master's Degree*», pero no sabía nada acerca del arte y ciencia de vender y de patrocinar.

La mayoría de la gente tiene una u otra reacción a la palabra ventas: desdén o terror. Estos dos puntos de vista eran un problema para nosotros y la pregunta en la mente de los que contactábamos para explicarles el negocio era: «¿Tengo que vender?».

Tanto nuestra sociedad moderna, como las sociedades de las culturas antiguas están basadas en el hecho de que, *para tener un mayor estándar de vida, necesitamos depender los unos de los otros.* Todos tenemos habilidades únicas, necesidades y aspiraciones dadas por Dios.

Así es cómo empezó el comercio: intercambiando granos por animales, artículos por servicios, etc. Más tarde, la moneda entró en escena y puesto que el dinero es mucho más ligero que una vaca y más conveniente para llevarlo a todos lados, esta invención revolucionó la libertad de intercambio, es decir la libre empresa. La gente empezó a adquirir habilidades para introducirle a otras personas sus productos y nuevas formas de distribución.

A medida que aprendía acerca de los negocios, de esa misma forma, transmitía mi conocimiento a las personas en las reuniones.

¿Cuánto tiempo te llevaría el preparar tu propio champú? Probablemente no tienes los recursos o los conocimientos de hacer siquiera lo más básico de nuestras necesidades modernas. En su lugar, dependemos de otras personas con el conocimiento, las capacidades y la materia prima para crear estos productos.

En lugar de manufacturar o cultivar cualquier producto del que dependemos, podemos simplemente intercambiar dinero por nuestra selección de productos y servicios. ¡Esto es libertad de empresa y ha existido desde el principio de la humanidad!

Yo frecuentemente le explicaba el negocio a gente escéptica de la siguiente manera: «Imagine que Fresno se convirtiera en un lugar gélido (frío) y la gente necesitara chaquetas. Usted tiene un amigo en Los Ángeles que hace chaquetas; por lo tanto, tomaría el riesgo de manejar allá, compraría algunas chaquetas y las traería de regreso para venderlas entre la comunidad».

Y luego les preguntaba: «¿Usted iría a Los Ángeles, compraría esas chaquetas y las vendería por mismo precio que las compró allá?»

—No —siempre respondían.

—¿Por qué no? —atacaba yo.

—¡Perderíamos dinero! No podemos gastar tiempo y dinero sin ninguna compensación.

Disfrutaba que lo entendieran. La gente estaba aprendiendo la verdadera naturaleza del negocio y probablemente dejando de lado varias de sus ideas equivocadas. Estaban aprendiendo acerca de lo que significa valor agregado.

Cuanto más se profundizaba mi conocimiento acerca de esto, más lo explicaba y les decía: «El valor agregado es el valor económico que gana un bien cuando es modificado. Es decir, el valor agregado es el valor económico que se agrega por el proceso de producción. Supongamos que compras unas tablas de madera de pino sin ningún

> **Para tener un mayor estándar de vida, necesitamos depender los unos de los otros.**

tratamiento. Esas tablas quizá tienen un precio de 20 dólares. Si las barnizas, haces una mesa y le aplicas un diseño mediterráneo, su precio de venta pasa a ser de 400 dólares. Por lo tanto, el valor agregado por este proceso es de 380 dólares».

Aunque yo todavía era un empresario de Kindergarten, sabía que la libertad empresarial había sido la mejor cosa que pudo habernos pasado.

La gente siempre hablaba acerca de la recesión y nosotros les decíamos: «La recesión no existe. La recesión significa que el dinero ha dejado de moverse».

Si yo tomo 20 dólares y compro pan de alguien que sabe cómo hacer pan y luego lo vendo a otra familia que necesite pan, cruzando el pueblo, ¿estamos en recesión? No, porque los seres humanos estamos en constante necesidad de alimento, productos y servicios.

Por lo tanto, una recesión no significa que el dinero ha dejado de moverse; ¡una recesión significa que la gente ha dejado de moverse!

Vender significa simplemente proporcionar a las personas los productos que ellos necesitan o desean. La gente constantemente necesita artículos y servicios en sus vidas. La distribución de estos productos y servicios se llama negocio.

En los primeros días como empresarios, nos dimos cuenta de que la mayoría de la gente con la que hablábamos tenía miedo a las ventas, por no tener idea de lo que es el comercio o las ventas.

Hay un estereotipo negativo acerca de alguien que trabaja en ventas como una persona que no puede encontrar un trabajo «real», o asumen que para «vender», debes tener un cierto tipo de personalidad extrovertida. Las dos nociones son simplemente incorrectas.

Siempre y cuando las personas carezcan de la habilidad para crear sus propios productos, existirá la necesidad de adquirirlos. Por consecuencia, alguien tiene la habilidad de producir un producto y alguien tiene la habilidad de distribuir esos productos.

Directo al grano

Cuando una familia necesita obtener dinero extra con rapidez, de inmediato se preguntan: «¿Qué podemos vender? Es decir, ¿qué podemos vender directamente a alguien? ¿Tamales, pupusas, pan, etc?».

Las ventas directas son vitales en cualquier economía—grandes y pequeñas, globales y locales. La venta directa es un medio de sobrevivencia cuando hay una baja económica en un hogar. Tanto la persona que tiene necesidad de vender como la que tiene la necesidad de comprar tienen la oportunidad y la libertad de intercambiar productos por dinero. La venta directa da soluciones y respuestas económicas a quien tenga necesidades o un sueño por lograr. Crea una oportunidad sin precedente.

Las ventas directas son una industria de miles de millones de dólares. Este modelo de negocio tiene la ventaja de no tener una gran barrera para ingresar. No necesitas tener un sitio o local para vender, empleados o inventario.[1]

Desde que la primera transacción de negocios se llevó a cabo hace incontables siglos, la gente ha continuado introduciendo unos a otros las mejores fuentes de productos.

«Juana, debería comprarle a don Pedro el queso. ¡Está riquísimo!»

El método de boca en boca siempre ha sido la mejor manera de construir un negocio y lo sigue siendo en la actualidad.

En la mayoría de las industrias, la gente es honesta, muy trabajadora y enfocada en proporcionar excelente servicio. Satisfaciendo las necesidades de otros—como me enseñó mi abuelita—es la mejor ruta para ver que tus propias necesidades sean satisfechas.

Debido a nuestros antecedentes únicos y habiendo llegado a este país cuando era un adolescente, yo no sabía mucho acerca de los negocios—especialmente el de ventas directas. Nos empeñamos en aprender y enseñar.

Supongo que ya habíamos aprendido el principio más valioso de la libre empresa: ¡Soñar! Y en nuestra educación como empresarios, estábamos a punto de graduarnos de kindergarten.

El impulso hacia el éxito

Ese año de 1999, nuestra rutina diaria pasó de ocupada a extremadamente ocupada. Vivíamos en Fresno y trabajábamos a tiempo completo. Regresábamos a casa entre las cuatro y cinco de la tarde. Luego conducíamos dos horas y media hacia Salinas. Nuestra estrategia de negocios ya había pasado de la etapa de las lavanderías a los vecindarios. Cuando no teníamos reuniones programadas, simplemente tocábamos puertas hasta aproximadamente las ocho de la noche.

---

1 - http://mlmlegal.com/MLMBlog/results-dsas-annual-growth-outlook-survey/

Dando un vistazo al pasado, veo con orgullo y satisfacción que nuestro lema siempre fue y ha sido trabajar duro.

No obstante, nuestro negocio estaba estancado. La organización de la que decidimos formar parte realmente carecía de organización. Por lo tanto, compramos cintas para escuchar charlas motivacionales que nos ayudaran a aprender nuevas ideas, pero la instrucción era incierta.

Aún como maestro, yo no había logrado conectar los puntos entre lo que estábamos haciendo y por qué no estábamos teniendo éxito.

Después de conducir de ida y vuelta a Salinas por un año, estaba agotado y para añadir todavía más estrés, cuando declaramos nuestros impuestos, el contador se rió de nosotros. Todavía recuerdo el sentimiento de humillación mezclado con rabia mientras nos reprendía.

—¡¡Qué!? ¿Manejas a Salinas todos los días y tan solo hiciste $400 el año pasado? ¿Qué clase de negocio es ese? ¡Debes estar demente!

Por alguna razón, no lo escuchábamos. No estábamos ganando dinero. Nuestro negocio nos estaba costando dinero. La mayoría de la gente que se inscribía renunciaba después de un corto plazo y el número de personas en nuestra organización fue decreciendo una y otra vez.

Unos años después, le dije a Alicia: «Mira, estamos poniendo nuestro mayor esfuerzo, pero no vemos resultados. Estamos haciendo algo mal, pero no sé qué es. Tomemos un tiempo y hagamos un análisis para descubrir dónde está la falla».

Por supuesto que estudié y traté de practicar las recomendaciones de otros que eran triunfadores en este negocio. El problema era que las recomendaciones cambiaban y cambiaban y me parecía que los mensajes que recibíamos entraban en conflicto.

Nuestros líderes en la organización frecuentemente hacían críticas acerca de nosotros y nuestros métodos, aun adelante de los prospectos que traíamos a las reuniones. Dentro de mí, sabía que este comportamiento era incorrecto, pero no lograba entender exactamente por qué era incorrecto o qué podría hacer al respecto. La situación me recordaba acerca de la diferencia entre mi concepción idealista de la enseñanza y la realidad brutal del mundo real. Cuando estaba en la universidad, la idea de convertirme en maestro era tan inspiradora. Imaginaba estudiantes agradecidos y una administración útil.

No obstante, una vez que estuve en el sistema y tuve que lidiar con la burocracia, muchachos que ignoraban las reglas, padres con quejas y demandas del sindicato, empecé a preguntarme por qué pasé todos esos años trabajando para esta meta.

Todo el drama alrededor de nuestro mundo de negocios, si a eso podía llamársele negocio, me recordó algunas de las cuestiones negativas del mundo de la enseñanza.

Las relaciones que teníamos en Salinas estaban en crisis. Por ejemplo, una vez programamos una reunión en una casa y nadie apareció.

Finalmente, una dama entró al salón, nos habló a los dos y de manera privada me preguntó: «¿Ustedes son tontos o ignorantes? ¿Cuál de los dos calificativos les queda mejor?»

Creo que se apiadó de nosotros, aunque no tuvo tacto. Ella continuó.

—Sus líderes estuvieron aquí ayer. Reunieron a todos y dijeron un montón de cosas negativas acerca de ustedes. ¿No se dan cuenta que ellos no quieren que a ustedes les vaya bien?

¡Dios mío, que terrible revelación!

Cuando íbamos conduciendo de regreso a Fresno, Alicia dijo: «Ya no quiero hacer esto. Creí que este negocio se trataba de ayudar a las personas».

No estuve de acuerdo con renunciar y el siguiente día, hice algunas investigaciones acerca de los líderes de la organización.

Descubrimos más desorden y también demandas contra algunas de las personas en las que habíamos confiado. Fue como abrir caja de Pandora.

Había sido un ingenuo y confiado todo mi esfuerzo y el de mi esposa en una organización sin escrúpulos.

Estábamos trabajando, pero los depredadores nos atacaron cuando vieron que crecíamos. Podían seguir nuestras actividades en Salinas, pero podíamos escapar de su alcance si íbamos a otros estados.

Estos líderes deseaban desarrollar consumidores de productos, pero no querían desarrollar personas que se convirtieran en líderes. Deseaban monopolizar y centralizar el poder y no querían empoderar a la gente.

Deseaban entretener, pero no educar. Rechazamos la idea de construir nuestro negocio en un ambiente de farándula y una cultura donde se le hacía creer a la gente que llegar a ciertos niveles era convertirse en una celebridad.

Decidí tomar un descanso. Dejé de viajar a Salinas. Dejé de contactar personas acerca del negocio. Pero no dejé de soñar...

Enfoqué mis energías en convertirme en un estudiante de la industria de ventas directas y a recapitular lo que había aprendido sobre la naturaleza humana.

Capítulo CINCO

Cuanto más oscura la noche, más claro el amanecer

El trabajo más difícil y desafiante para nosotros, en nuestro negocio, era lidiar con la oposición. Lo que nunca esperamos, ni en nuestras peores pesadillas, era tener la oposición de los líderes ascendentes— líderes a quienes les pedíamos consejos y en quienes confiábamos.

Nuestro *upline* vio nuestro crecimiento y el aumento de personas que asistieron a un evento en Fresno y preguntó: «¿Cómo pasó esto?».

Yo estaba listo para explicarle nuestra estrategia cuando un socio llamado Epi interrumpió y dijo:

—Por supuesto que el crecimiento es debido a nuestro *upline* Machuquis —expresó, lisonjeando con una gran sonrisa.

—¡No! —interrumpí— ¡Ninguno de ustedes nos apoyó en esta estrategia!

Puesto que la organización se estaba disparando, naturalmente creíamos que nos lloverían felicitaciones de parte de nuestros líderes. En su lugar, algunos de ellos nos traicionaron y patrocinaron a algunas de las personas de nuestra organización a través de «canales internacionales». En cuestión de semanas, nuestra organización, que contaba con más de 300 personas, se vino abajo con solo 70 personas.

Los tan llamados líderes reunieron a la gente y hablaron mal de nosotros, exigiéndoles a los socios su total aquiescencia y que no nos escucharan. Programé una reunión en New Mexico con una persona que estaba a cargo de la organización con el propósito de pedir su ayuda. Le conté los hechos y cuánto daño estaban causando. Por desgracia, no pudo o no quiso ayudarme. Esta gente continuaba, como dicen, «llevando agua a su molino».

Supongo que esta decepción fue otra lección que me tocó aprender en la escuela de los golpes bajos. El trabajo duro es necesario y el conocimiento es clave para el éxito, pero la sabiduría es nuestro más grande tesoro. Es triste que algunas veces aprendamos acerca de la importancia del buen carácter al experimentar deshonestidad y egoísmo, pero también es bueno aprender a crecer y a seguir adelante. La experiencia, aunque sea dolorosa, da un impulso para que la sabiduría se desarrolle en un ser humano.

> **Cuando te hayan herido las palabras o acciones de otros, te pido de todo corazón que enfrentes esas experiencias, que aprendas de ellas, que perdones y sigas adelante.**

Cuando regresé a casa después de la reunión en New Mexico, las primeras palabras que dije fueron: «¡Vamos hacia el Diamante!».

Diamante era el siguiente nivel por encima de Esmeralda, e igual al de la gente que había estado perturbando nuestra organización. Me di cuenta de que necesitábamos crecer nuestro negocio para corregir los errores en la cultura del liderazgo. Debíamos imponer nuevas reglas que lograran el crecimiento de todos, no repetir los errores de estos líderes y asegurar que a nuestros asociados no les ocurriera nunca lo que pasó con nosotros: hacer un trabajo infructuoso sin beneficio alguno.

Muy dentro de mi ser, nunca dudé del potencial de nuestro negocio, pero cuestionaba nuestra estrategia. Creo que quizá fue como un despertar de que después de dos años en el negocio, tenía metas básicas; pero no una estrategia matemática o una estrategia que beneficiara a las personas a las que deseábamos beneficiar. El negocio era simple. Se necesitaba lograr dos objetivos: hacer que los asociados lograran sus metas y que se activaran.

¡Nos dimos cuenta de que éramos maestros sin un currículo para enseñar! En realidad, estábamos dando las lecciones equivocadas con nuestras acciones.

Te puedo decir que yo era un hacedor incansable, pero nuestras acciones no estaban produciendo resultados. Es cierto, la acción es esencial para el éxito. Quienes toman acción no esperan que todas las circunstancias sean perfectas antes de tomar alguna acción. El rey Salomón escribió: «*Si esperas a que las condiciones sean perfectas, nunca lograrás hacer nada.*» *(Paráfrasis de Eclesiastés 11.4)* Recapacité y me enfoqué en la tarea de sanar nuestros corazones heridos y ser honestos con nosotros mismos acerca de las circunstancias tan negativas que tuvimos que enfrentar en nuestra organización.

Estábamos tan heridos y habíamos sido tan ilusos. *Cuando te hayan herido las palabras o acciones de otros, te pido de todo corazón que enfrentes esas experiencias, que aprendas de ellas, que perdones y sigas adelante.* Busca formas de mejorar tus acciones e interacciones. En la Biblia, el apóstol Pablo enseña que Dios puede hacer que todas las cosas funcionen para bien (Romanos 8). Nosotros pudimos, por la gracia de Dios, trascender más allá de nuestras decepciones y fracasos experimentados en el negocio. Este proceso de restauración implicaba el revisar, de una forma honesta y justa, nuestras relaciones dentro del negocio. Por otra parte, *la presión revela los problemas que hay en la personalidad de cada uno de nosotros* y como tú sabes, tuve que enfrentar algunos problemas de carácter dentro de la organización.

> **La presión revela los problemas que hay en la personalidad de cada uno de nosotros.**

¡Era increíble! Las personas nos mentían y también mentían acerca de nosotros. Los supuestos líderes nos crearon una mala reputación con toda intención. Habíamos pagado por materiales de apoyo que nunca nos entregaron y le decían al grupo que ya se nos había entregado el material para hacernos quedar mal. Esto mostraba serios problemas de carácter moral. En mi condición de cansancio extremo y ocupación sin límites, ignoré las señales de advertencia. Uno de los líderes siempre obligaba a las personas a que le pagaran sus comidas. A otros los trataba de manera despectiva y sin ningún respeto. Actuaba como un dictador y en ocasiones, actuaba como una celebridad, cobrando 25 dólares para tomarse una foto. Hubo momentos en que tenías que pedir permiso hasta para comprar un teléfono celular, puesto que era imperdonable tener un mejor celular o un mejor carro que el líder.

Imagínate algo parecido a la película **El padrino.** En los restaurantes, la persona en la línea ascendente era la primera en ordenar y ni por equivocación se preocupaba de por lo menos revisar la cuenta. El IBO de línea descendente colectaba el dinero de los demás para pagarla. El modelo de liderazgo y código de conducta de estos supuestos líderes era: «No critiques, no condenes, no te quejes».

«Siempre escucha a tu línea ascendente, pues él se auspició primero que tú y por lo tanto, sabe más que tú». Un tiempo después, nos dimos cuenta de que esto era absurdo. El hecho de que seas la línea ascendente no te certifica como que sabes más acerca de finanzas, ciencia, contabilidad, etc., que las personas que estás asociando. De hecho, esta postura de querer proyectar que lo sabes todo es demasiado peligrosa y te puede poner en una evidencia de forma vergonzosa. Con respecto a esto, deseo compartir contigo que *la humildad y la generosidad son dones inimitables y no pueden fingirse. Simplemente, se dan de forma espontánea.*

> **La humildad y la generosidad son dones inimitables y no pueden fingirse. Simplemente, se dan de forma espontánea.**

Los líderes deben ser honestos acerca de sus capacidades y las áreas en las que necesitan mejorar. Todo es un equipo y todos necesitamos de todos para crecer.

En la industria de venta directa o multinivel, hay una jerarquía organizacional y esto es importante, pero aún con «líneas ascendentes» y «líneas descendentes», yo creía que era posible formar un equipo donde nadie se considerara superior a otra persona. Nuestro más profundo deseo era que nadie abusara de nadie debido a esa jerarquía y mantener un ambiente de respeto por los derechos humanos de todos nosotros, aun cuando los nuestros habían sido golpeados de manera artera. Nadie en el grupo oprimiría a ningún otro compañero por su nivel o *«pin»*. También deseábamos crear un ambiente de oportunidad de negocios sustentable, balanceado y abierto a todo aquel que estuviera dispuesto a brindar su trabajo.

En ese entonces, la línea de auspicio no estaba poniendo un buen ejemplo y por lo tanto, no se dieron a la tarea de entrenarnos.

Recuerdo que solo tres días después de asociarnos, agendamos una reunión en la casa de una amiga. Se hizo como se indicó y estábamos emocionados de ver cómo nuestros líderes dirigirían la reunión.

Cuando estaba a punto de empezar la presentación, le dijeron a

Alicia: «Creo que tú eres capaz de mostrarle el plan a estas personas. ¡Adelante, hazlo!».

—Pero... ¡solo he estado en el negocio por tres días! —respondió Alicia.

¿Te puedes imaginar cómo fue la primera presentación, sin ningún entrenamiento?

Lo mismo me paso a mí unos días después. Agendé una reunión a 40 minutos de la casa. Llegamos a la reunión, puse la pizarra y presenté a mi auspiciador. Mientras lo introducía, me dice de forma directa y palmeándome la espalda: «Yo le voy a mi gallo. Tú das la presentación y yo te observo. ¿O qué, no puedes?»

Sin ninguna objeción, di la presentación y nadie se asoció. Insistí con terquedad en asociar a las personas hasta que se cansaron de mí al grado que casi nos corrieron de la casa donde se llevó a cabo la reunión.

Nadie me entrenó para escuchar a las personas y ser sensible a sus preguntas. En su lugar, nos enseñaron a juzgar a los que no deseaban unirse al negocio. Preguntábamos a la gente acerca de sus trabajos y luego cuestionábamos sus elecciones, tratando de convencerlos e imponiéndoles para que se unieran a la organización. Podría decirte que estaba subestimando a los prospectos en vez de fortalecerlos para poder despertar en ellos un deseo y ayudarlos a lograr sus metas.

> **Tu ser impulsa tus acciones. Tus acciones y tu forma de actuar tienen un impacto en tus relaciones.**

En otra ocasión, un grupo de personas que eran trabajadores independientes vinieron a una de nuestras reuniones. De hecho, me encontré criticando su elección de ser trabajadores independientes porque tenían que luchar con gastos generales, empleados, renta, etc. Estas personas simplemente se sintieron criticadas y se retiraron de la reunión.

Personas y habilidades

El hecho de que habíamos elegido tomar un tiempo para procesar nuestras experiencias y decepciones nos ayudó a perdonar a otros y aprender de nuestros propios errores. Con el tiempo, también nos perdonamos a nosotros mismos. Ahora sí que podíamos avanzar.

Gracias a Dios que durante nuestro tiempo de reflexión, leí el libro *Cómo ganar amigos e influir en las personas* de Dale Carnegie. Las explicaciones de este libro abrieron mis ojos ante la importancia de las habilidades en el trato con las personas y me hizo muy consciente de las deficiencias en mis capacidades para construir relaciones.

La gente exitosa construye su negocio en base a tres factores: ser, quehaceres y relaciones. Puedes ser muy bueno para relacionarte y ser muy íntegro, pero si nunca tomas acción, no habrá crecimiento.

Quién eres tú en el interior, tarde o temprano, surgirá al exterior por medio de tus acciones. *Tu ser impulsa tus acciones. Tus acciones y tu forma de actuar tienen un impacto en tus relaciones.*

Durante la época de Hitler, un artista judío estaba siendo perseguido por los nazis y se encontró con un leñador, a quien le suplicó que lo escondiera. El hombre le aconsejó que se refugiara en su cabaña. Casi de inmediato, llegaron los soldados y le preguntaron al leñador si había visto a un judío. El hombre en voz alta les dijo que no, pero señaló disimuladamente con su mano hacia la cabaña donde el judío se había ocultado. Los soldados no comprendieron sus señales de mano y se confiaron únicamente en lo que había dicho. El judío, al verlos marcharse, salió sin decir nada. El leñador reprochó al judío porque no le dio gracias a pesar de haberlo salvado, a lo que el judío respondió: «Te hubiera dado las gracias si tus manos y tu boca hubieran dicho lo mismo. Eres mentiroso contigo y con tu prójimo, pues tu intención verdadera era entregarme a los soldados».

> **El brillo de la integridad se impondrá en todo, aun cuando tus acciones no sean perfectas.**

En este relato, nos damos cuenta cómo la relación del judío y el leñador se dañó por falta de integridad. De la misma forma, en este modelo de negocio, nuestro ser, al ser revelado mediante el actuar, va a afectar las relaciones. Es muy importante ser íntegro, porque *el brillo de la integridad se impondrá en todo, aun cuando tus acciones no sean perfectas.*

Las personas se sienten atraídas por aquéllos que muestran un buen carácter.

El carácter debe ser un conjunto de cualidades que incluyan la honestidad, la puntualidad, la comunicación y la confiabilidad.

Tu carácter es como un eje. Un eje está sujeto a un motor con engranajes que funcionan como un solo objeto. El motor hace que el eje tenga movimiento e impulse las ruedas. Así es como tu vida interna afecta tus logros externos y tus relaciones.

Atraerás a las personas que respetas y alejarás a los que criticas. Toma una decisión de integridad.

Si eres una persona orientada a la acción y buena para construir relaciones, pero tienes un carácter carente de las características antes mencionadas, la gente eventualmente se alejará de ti. *Recuerda que atraerás a las personas que respetas y alejarás a los que criticas. Toma una decisión de integridad.*

Yo había estudiado por años para saber dirigir y manejar un salón de clases ordenado, pero me faltaba mucho por aprender sobre como patrocinar, fortalecer y entrenar a personas.

Recordando a la Señora Downing, mi vida dio un giro dramático a partir de una importante conversación. Sus palabras de fortalecimiento me energizaron para continuar con mi formación. Estoy seguro que ella estaba consciente de las palabras que necesitaba decirme, pues ella conocía mis debilidades, pero decidió fortalecerme. Debido a este valioso apoyo, mi convicción cambió de forma significativa. Si mi interior no hubiera sido transformado y llenado de esa convicción positiva que me dio la fuerza de avanzar y vencer obstáculos, no hubiera desarrollado la energía para poner el esfuerzo necesario para desarrollar las aptitudes y lograr ser profesor.

Cuando nos tomamos el tiempo para examinar nuestras experiencias del negocio, nos dimos cuenta de que la razón por la cual la gente renunciaba no era por falta de habilidades; el problema principal era la falta de fortalecimiento y entrenamiento. Todos necesitábamos ser fortalecidos antes de ser entrenados. Era importante energizarse primero y llenarse de convicción. Era como pedirle a los socios que fueran a luchar una batalla, sin la convicción ni el entrenamiento para que poder ganarla. Es decir, es como mandarlos a la guerra con un arma sin que sepan cómo usarla. ¡Podrían herir a otros y herirse a sí mismos!

Una de dos: Podríamos esperar conocer a gente ya entrenada o intentar dar aliento y entrenamiento a las personas que encontrábamos.

Aun cuando había muchos audios que se promovían en nuestra organización, ninguno de los mensajes realmente ayudaba a las personas a creer en ellos mismos lo suficiente para mantenerse activos. Invertimos en esos tan llamados materiales de entrenamiento y definitivamente no nos sentíamos fortificados. No estábamos creciendo. No había un valor «nutricional» en las enseñanzas. Esa era la razón por la cual nuestro negocio lentamente decrecía.

Regularmente se promovía entre la gente a asociar aquéllos que eran «mejores que ellos» para poder triunfar, pero con esta mentalidad, es fácil ver con desprecio a otros y desestimar su valor. Comenzamos a ofrecer esperanza a las personas, sin ponerles etiquetas. Decíamos: «Encuentra a alguien e invierte en esa persona. Cualquiera puede ser alguien». Buscábamos personas que estuvieran en la búsqueda de algo mejor....

Dar un paso atrás y recapacitar sobre cómo hacer las cosas fue bueno para nuestra familia. Nos dimos cuenta que queríamos un negocio que ayudara a edificar a la gente, proporcionara más libertad y promoviera la libertad de empresa y la unión familiar. Por lo tanto, patrocinar, fortalecer y entrenar era esencial para un buen fundamento.

Ya habíamos patrocinado a personas anteriormente, pero nunca habíamos fortalecido ni entrenado al grupo. El fortalecer y el entrenar a las personas en el ser, quehacer, y las relaciones fue un cambio que impactó a la organización.

Cuando una persona se une a un negocio de venta directa, la relación no debería empezar con el entrenamiento. La gente necesita elevar su nivel de convicción antes de que se le entrene. De lo contrario, el entrenamiento solo agregará imposiciones y presiones innecesarias. Acciones tales como contactar a prospectos y hablar frente a un grupo son habilidades que muy pocos poseen; es más, la mayoría de las personas tienen temor a este tipo de actividades. Fortalecer no significa *«entrenar». Fortalecer fue lo que hizo la Señora Downing conmigo. Ella plantó una creencia revolucionaria en mi corazón: «Juan, tú puedes hacerlo». Sus palabras se convirtieron en semillas que crecieron en mi mente y corazón y contrarrestaron las palabras negativas que había escuchado toda mi vida. Bastó una serie de conversaciones para que fortaleciera mi actitud y así tomar acción.*

Fortalecer fue lo que hizo la Señora Downing conmigo. Ella plantó una creencia revolucionaria en mi corazón: «Juan, tú puedes hacerlo». Sus palabras se convirtieron en semillas que crecieron en mi mente y corazón y contrarrestaron las palabras negativas que había escuchado toda mi vida. Bastó una serie de conversaciones para que fortaleciera mi actitud y así tomar acción.

Sin convicción, es difícil poner la acción. Las personas necesitan herramientas para fortalecer sus mentes, antes de enseñarles cómo llevar a cabo sus actividades. La mayoría de las personas que renunciaron el negocio entendieron la mecánica de introducir a alguien a esta oportunidad de negocio. El problema fue que no sabían qué hacer con las personas que habían introducido. Además, el hecho de que miraban como las personas que habían asociado se desanimaban les provocaba el sentimiento de que no tendrían éxito. Muy en su interior, tenían tanto temor al fracaso y al rechazo que no se mantuvieron.

Siendo honesto, yo también habría renunciado a este negocio sin el fortalecimiento que recibí en mi jornada como estudiante, desde la secundaria hasta obtener mi maestría. Me hice mentalmente fuerte. Estaba convencido de que yo decidía qué tan duro trabajaba para mí mismo. Era un hecho que debíamos aprender mucho todavía acerca de la vida y el negocio, pero nuestras mentes estaban fortalecidas de forma obstinada. Aún recuerdo las palabras de la Señora Downing: *«You can do it. If you are willing to put in the work, you can be anything you want to be… you can do it».*

Fútbol

En la secundaria, empecé a jugar fútbol. A finales de los años ochenta, este deporte no era tan popular como lo es en el presente en los Estados Unidos y durante ese tiempo, el fútbol era muy popular en México, tal como lo es en la mayoría de los países latinoamericanos.

Aún con la sensación de que yo era un extranjero en este país, observaba

63

a los padres anglosajones y cómo interactuaban con sus hijos durante los juegos de fútbol—especialmente cuando sus jóvenes jugadores no lo estaban haciendo bien. Esta es una forma gentil de decir que muchos anglosajones no eran buenos para este deporte, pero cada vez que sus hijos trataban de patear la pelota e incluso si le fallaban a la pelota, sus padres gritaban: «¡Buen intento, buen trabajo!».

Esto me confundía. «Um... ¡perdió el balón y le dicen cosas positivas!»

Sin embargo, cuando los chicos hispanos perdían el balón, sus hermanos y parientes les gritaban cosas negativas, y esta diferencia cultural basada en la afirmación verdaderamente me impactó.

Cuando yo estaba aprendiendo inglés, la Señora Downing era alentadora. «¡Bien hecho, Juan, buen esfuerzo!» Más tarde, durante mis primeros años de escuela en los Estados Unidos, recibí un diploma simplemente por hacer el intento y un premio de reconocimiento fue otorgado a otro estudiante por hacer el mejor esfuerzo.

De dónde yo venía, a menos que seas el más inteligente, te dan algún tipo de reconocimiento. Pero por intentar, no te dan nada. Gradualmente, empecé a entender claves para triunfar en la vida. Mucha gente, incluyéndome a mí, primero necesitaban elevar la convicción o construir la autoestima. Muchos no crecieron con alguien que creyera en ellos y los fortaleciera con palabras de afirmación. Cuando llegué a este país sin hablar inglés, tenía una autoestima muy baja. Todavía siento ese agradecimiento hacia la Señora Downing. Sus palabras y acciones me convencieron de que tenía potencial para ser alguien en la vida. Aparte de mi abuelita, ella fue la única que me hizo sentir que valía algo.

¡Fortalecer a las personas era el factor clave que faltaba en nuestro negocio!

Desarrollamos una estrategia que cubriera dos puntos importantes: Auspiciar personas y desarrollarlas. En la industria de la venta directa, hay dos aspectos importantes. Uno es acrecentar externamente la red en números, y el segundo, después de sumar personas en la red, es que es importante desarrollarlos internamente. Es decir, los nuevos socios son la materia prima y hay que agregar valor a la vida de esas personas.

En matemáticas, solo existe la suma o la resta. *El crecimiento exponencial empieza con la suma. Sumar socios, fortalecerlos internamente y desarrollarlos nos lleva a la multiplicación y luego al crecimiento exponencial.*

Si nos enfocábamos en patrocinar, fortalecer y entrenar, creíamos que la multiplicación y el crecimiento exponencial ocurrirían. Cuando aquéllos que fortalecíamos y entrenábamos hicieran lo mismo con otros, solo en ese momento, el crecimiento exponencial se desarrollaría. Y así sucedió.

Un árbol es un árbol por su crecimiento exponencial. Tanto las raíces como las ramas se multiplican. En el momento que ese árbol comienza a llenarse de ramas, ocurre el milagro del crecimiento y de dar frutos de manera exponencial.

En esta industria, las personas crecemos de la misma manera: Tú patrocinas a alguien al colocarlo en un buen ambiente. Si los fortaleces y entrenas para que crezcan derechos, altos y de forma natural, crecerán como has previsto y darán frutos. Eventualmente, ellos patrocinarán, fortalecerán y entrenarán a otros.

> **El crecimiento exponencial empieza con la suma. El sumar socios, fortalecerlos internamente y desarrollarlos nos lleva a la multiplicación y luego al crecimiento exponencial.**

Estos principios se aplican a cualquier ser humano y a cualquiera en negocios—aun en las iglesias. De hecho, las iglesias necesitan enfocarse en fortalecer a las personas y luego entrenarlas.

Llegó el momento de creer

Yo sabía que los productos que estábamos vendiendo eran excelentes porque los usamos por años. Parte del proceso de fortalecimiento y entrenamiento para la gente que entraba al negocio era pedirles que usaran y compraran los productos. Esto suena simple, pero una persona necesita realmente creer en lo que está vendiendo para ser verdaderamente exitosa. Cualquier rastro de duda va a socavar la confianza y la acción. Después de algunas semanas, una persona puede superar el nerviosismo y el miedo, y llegar a la convicción acerca de los productos que ofrece, al creer profundamente en ellos. Este cambio de actitud es esencial para el éxito.

Una vez que fortalecíamos a una persona, podíamos entonces comenzar con el proceso de entrenamiento: «Okey, ahora te enseñaremos cómo presentar el plan del negocio».

Me di cuenta, a partir de las experiencias dolorosas, cómo la transición de fortalecimiento a entrenamiento requiere disciplina y un cuidadoso manejo del tiempo. Patrocinar, fortalecer y entrenar a una persona era muy fácil; pero a medida que sumas más gente, se va haciendo más desafiante poder apoyar completamente el desarrollo individual. Cada uno necesita una ración completa de fortaleza y tiempo, no solamente gotitas. Esto significa una gran cantidad de tiempo invertido.

Cuando patrocinábamos a alguien, en lugar de exigirles que ellos contactaran y mostraran el plan de negocio, nos tomábamos el tiempo para fortalecerlos y construir una relación. Solo en ese momento pudimos ofrecer un entrenamiento más eficiente. Una vez que el nuevo patrocinado se graduaba del entrenamiento, entonces estaba listo para patrocinar, fortalecer y entrenar a otros.

El modelo previo de patrocinar y exigirles a los socios hacer lo mismo solo tuvo dos problemas: no funcionó y no funciona.

Nuestra técnica de Asociar-Fortalecer-Entrenar era diferente y mucho más eficiente para desarrollar a las personas. Con esta nueva actitud, se desarrollaron los estados de Oregon, Washington, Nevada, Idaho y Colorado. No contábamos con un sistema completo para fortalecer y entrenar o herramientas sofisticadas que respaldaran esta filosofía, pero había líderes con la energía y la responsabilidad para patrocinar, fortalecer y entrenar a personas con los pocos recursos que teníamos. Es importante compartir que hubo líderes que hicieron suya esta estrategia de trabajo y lo hicieron con mucha convicción, construyendo sus negocios desde California hasta New York. Hoy en día, hay otros líderes que han duplicado su éxito con ese mismo modelo de trabajo; algunos otros se mudaron y otros construyen sus negocios localmente.

Comenzamos a poner a prueba nuestras nuevas ideas. La gente se inscribía. Resistimos las ganas de que la gente hiciera cosas sin que fueran fortalecidas y entrenadas. Empezamos a construir relaciones y a escuchar. Ayudamos a las personas a identificar sus sueños. Mientras tanto, fuimos puliendo la ingeniería que había logrado que la organización crezca a pasos agigantados.

Antes de este crecimiento exponencial que estaba ocurriendo, solo conocíamos la decepción, pero afortunadamente, algo positivo estaba ocurriendo. A nivel organización, la estructura de nuestro negocio era bastante diferente al modelo que nos enseñaron. La enseñanza convencional era hacer que aquéllos a los que patrocinábamos, patrocinaran a otros rápidamente sin tomar en cuenta la naturaleza humana. En otras palabras, patrocina a seis, a nueve o hasta veinte y que ellos hagan lo mismo, haciéndolos responsables por sus resultados. Es decir, los resultados vendrían por su esfuerzo propio, sin el esfuerzo de quien los auspició; pero según nuestra experiencia y con respecto a lo que vimos en la organización de nuestro *upline*, esta no era una estrategia sabia. El porcentaje de agotamiento e inactividad era alto. No había entrenamiento y el negocio estaba adquiriendo una mala reputación en algunos círculos.

A medida que comenzamos a crecer, la línea de auspicio cuestionaba la estructura de la organización y nos presionaba para que siguiéramos el modelo establecido, que era santificar a la línea de auspicio, auspiciar, no criticar y no quejarse. Por si fuera poco, el socio no debía saber más que el *upline*.

A medida que fortalecíamos y entrenábamos a aquéllos que patrocinábamos, ocurrió algo milagroso. Después de algunos meses, la gente de nuestra organización empezó a patrocinar, a fortalecer y a entrenar a otros. ¡Se duplicaban y se multiplicaban ellos mismos y todos nos fortalecíamos como equipo!

Estábamos tan conscientes y enfocados en desarrollar a la gente que estaba frente a nosotros, que la organización empezó a crecer de una forma mágica y maravillosa, expandiéndose desde California hasta New York.

Capítulo SEIS

Abrir la mente para construir una nueva cultura

Nuestras estrategias estaban funcionando, pero lo más importante era que las personas estaban creciendo y veían que sus sueños comenzaban a tomar forma. ¿Por qué hacer uso de nuestra estrategia? Porque no deseaba que las demás personas pasaran por ese dolor por el que pasamos nosotros en el negocio. Sobre todo, que sus familias no pasaran por el sufrimiento por el que pasó la nuestra.

Mi postura se fortaleció ante la legítima y profunda creencia de que obstruir el crecimiento de las personas de nuestra organización sería como obstaculizar la evolución de sus familias. Mi creencia es que si obstruimos el crecimiento de las personas, se detiene la evolución de sus familias y la de nuestra propia cultura. *Nuestras elecciones pueden impactar a generaciones, para bien o para mal.*

No deseaba que los niños crecieran sin esperanza, como había sido mi caso, y esa también fue una de las razones por las que me convertí en maestro en primer lugar y por la que deseaba triunfar en este nuevo esfuerzo. Nuestra técnica de «Auspiciar-Fortalecer-Entrenar» estaba funcionando bien para desarrollar al individuo internamente. Por supuesto que las tácticas específicas mejoraron con el tiempo, pero aún no me sentía satisfecho. Algunas de las personas que yo creía que llegarían a ser exitosas en el negocio estaban renunciando. Nuestra tasa de deserción era demasiado alta y afortunadamente, empezó a aminorar.

> **Nuestras elecciones pueden impactar a generaciones, para bien o para mal.**

En ese momento y debido a nuestro crecimiento continuo, no podíamos fortalecer y entrenar personalmente a todos los nuevos miembros que se unían al negocio. Me sentía preocupado de que los estándares de excelencia y carácter que habíamos establecido se perdieran a medida que el negocio creciera.

Para ese momento, ya sabía suficiente acerca de los negocios para entender cómo el comportamiento exterior de una persona era un reflejo de lo que ocurría en su mente y en su corazón.

Necesitábamos una estrategia más que ayudara a organizar los resultados externos de la organización. Una vez más, nuestros conocimientos adquiridos en la universidad vinieron a auxiliarnos. Deseábamos un modelo donde las personas gradualmente crecieran interna y externamente. Por lo tanto, era fundamental crear un programa de liderazgo.

Ese día del 2007, decidimos poner una oficina y certificarnos. Así nació la organización. Deseábamos formar un equipo de gente, no un imperio basado en jerarquías y privilegios.

La visión del equipo

El currículo empezó a tomar forma en una oficina pequeña de 800 pies cuadrados que rentamos en Fresno, California. Vinieron los líderes con mayor trayectoria y nos reunimos por siete días. Hablábamos de dos cosas. Qué funciona y qué no funciona dentro de esta industria y, por supuesto, lo que podíamos implementar para lograr que las personas fueran exitosas.

Recuerdo que le recordamos al grupo: «Cuando se trata de matemática, antes de enseñarle al estudiante como sumar o multiplicar, primero enseña los dígitos 1, 2, 3, 4, 5. Una vez que los estudiantes aprendan la aritmética básica, podrán continuar con el aprendizaje de los siguientes niveles de matemáticas: álgebra, geometría, trigonometría, cálculo, etc». Funciona igual en los negocios.

El equipo estuvo de acuerdo y nos dimos cuenta de que los problemas que habíamos experimentado en el negocio fueron debido a la ignorancia y corrupción del liderazgo.

La integridad importa y aplica a cualquier organización alrededor del mundo.

Si, había muchos libros de autoayuda que recomendábamos a nuestros miembros, pero necesitábamos desarrollar materiales que pusieran a cada uno en sintonía con nuestra visión. *En la industria de ventas directas, tú, como individuo, te conviertes en la piedra angular de la organización que está creciendo a tu alrededor. Un aspecto del negocio es crecer interiormente—como persona—y el siguiente elemento es crecer exteriormente, en números, en el negocio.* Las acciones externas de una persona reflejan lo que ocurre en su interior. De la misma forma, las acciones externas de una organización reflejan lo que ocurre dentro de esa misma organización.

Necesitábamos abordar las dos áreas de desarrollo del nuevo programa de liderazgo. Con los líderes apiñados en un pequeño cuarto de conferencias, yo expresé: «Primero, es importante que cualquiera que se una al negocio entienda la importancia del valor del aprendizaje. Nuestros recursos ayudarán a las personas a crecer internamente antes de que crezcan externamente. Por lo tanto, nuestra nueva forma de entrenamiento para el liderazgo tendrá tres niveles de liderazgo: Aprender, Hacer, Orquestar».

Cuando un nuevo miembro patrocinado se unía al negocio, no esperábamos que empezara a construir una red de inmediato; esperábamos fortalecerlo para que aprendiera el negocio. Deseábamos que la gente aprendiera a soñar, elevar su autoestima, sentir convicción, sacudirse de las excusas, etc., antes de preocuparse por la mecánica de construir la red de multinivel.

En cierto sentido, este nuevo enfoque de «Aprender, Hacer y Orquestar» era similar al de «Auspiciar-Fortalecer-Entrenar», con enfoque en organizar los resultados externos. El «aprender» incluía tanto fortalecimiento como entrenamiento, y podía replicarse a una escala mayor, sin perder el enfoque en la gente.

Para la mayoría de las personas que patrocinamos, un sueño era lo que ocurría cuando cerrabas los ojos para dormir, no algo que ocurría cuando estabas despierto. Cuando llegué a este país, oír acerca del «sueño americano» era una nueva idea para mí y el concepto causó un gran impacto en mi imaginación. En la escuela, aprendí acerca de la fundación de los Estados Unidos y cómo este país estaba construido en base a un sueño—una visión para un futuro mejor. Me dije: «Si se había podido construir un país con base a un sueño, ¡también mi vida se puede construir con base a un sueño!»

Nos dimos cuenta de que necesitábamos infundir el poder de un sueño a mucha gente de nuestra cultura hispana y seguir reforzando sus sueños en los eventos.

Dado el hecho de que los resultados internos anticipan a los externos, era importante crear un modelo de liderazgo que sostuviera los resultados externos, pues estábamos convencidos de que íbamos a crecer en números. Sin embargo, deseábamos crecer como organización.

Capítulo *SIETE*

Un verdadero líder inspira a otros a brillar con luz propia

Parte de nuestra misión era ayudar a las personas a entender su valor. La estrategia requería una inversión de tiempo considerable y deliberada en la gente. Por lo tanto, era fundamental desarrollar un programa de liderazgo que permitiera a los individuos a entender su valor y a brillar con luz propia. Un problema con el que tuvimos que lidiar entre las personas era el capricho de quejarse constantemente si las cosas no se dan y culpar a quien los guía. No se ponen a pensar que si conscientemente aprenden su valor y se dirigen con disciplina, iniciarán su lucha en busca de soluciones a sus propios problemas. Con ese solo hecho, ya es un problema menos. Quien se atreva a asumir la responsabilidad de dirigirse así mismo da soluciones a sus propios problemas e inicia su liderazgo.

Por otro lado, las personas que no entienden su valor o no se atreven a solucionar sus problemas pasan por alto la oportunidad de poder convertirse en una locomotora, y prefieren seguir siendo vagones del tren, arrastrados por los problemas de la vida que otros les hayan impuesto. Para todos ellos, es prudente aclarar que los líderes no nacieron siendo líderes; sus decisiones los hicieron líderes progresivamente, conforme al estilo de vida que eligieron o que rectificaron para su desarrollo. Sentimos que estamos en un dilema, culpando a los demás por nuestros propios errores, y estamos ciegos, aunque la solución esté frente a nosotros. Al esclarecer el dilema, el hecho de que somos criaturas hechas a la semejanza de Dios y arquitectos de nuestro propio destino se revelará de una forma maravillosa que nos hará ver nuestra propia luz y conquistar nuestro destino.

Plantear el camino de un líder para su éxito no es una cosa fácil, especialmente cuando la meta de ese plan es proveer una ruta franca para los líderes modernos, los que están por venir, e incluso para cualquier persona que deja de ser vagón de ferrocarril para convertirse en locomotora. Pero si las cosas que valen la pena fueran fáciles, cualquiera las haría, y quien decida cambiar sus actitudes para superarse puede llegar a ser alguien importante en la vida—no solo subsistir, sino vivir.

Nuestro modelo de liderazgo es progresivo. Es decir, se trata de la habilidad en aumento que tiene un individuo para lograr sus sueños, de solucionar sus problemas o de llegar de un punto a otro. Extender su influencia por medio de un esfuerzo consciente. Conforme el individuo crece internamente, sus habilidades para ser líder crecen también. Esto *no es un proceso automático, sino uno provocado por un esfuerzo consciente. Si un individuo quiere elevar hasta el máximo su potencial, el proceso tiene que ser premeditado, planificado y provocado.*

No es un proceso automático, sino uno provocado por un esfuerzo consciente. Si un individuo quiere elevar hasta el máximo su potencial, el proceso tiene que ser premeditado, planificado y provocado.

El Aprender, el Hacer y el Orquestar son pasos de modo conveniente para planear el crecimiento interno y externo del negocio hasta que se logran las metas. El individuo aumenta su liderazgo, según progresa del Aprender al Hacer, y del Hacer a Orquestar. Avanzar por cada nivel es como pasar de primer año a segundo año y de segundo año a tercer año. Cada nivel que se avanza representa más influencia y aumenta las habilidades del líder que apenas comienza.

Igualmente, debemos recordar que quien decida iniciar un liderazgo progresivo, primero tiene que abandonar modales y costumbres de liderazgo que no le han funcionado y asumir nuevas costumbres y habilidades. De esa manera, descubrirá cómo su habilidad para líderar irá aumentando. Conforme la persona va creciendo en habilidad y humildad, su influencia también crece, llamando la atención de los demás. Otros copiarán sus aptitudes, creando un dinamismo, como si se tratara de algo que está de moda en el vestir, compartiendo un proceso de cambio individual de actitudes frente a todos con quien se relacione o quien lo esté observando. Aun así, si quiere elevar su potencial e influencia hasta el máximo nivel para imponer su moda y hacerse respetar, el proceso debe madurar, a medida que se logre el cambio esperado.

El respeto mutuo y solidario hacia todas las personas se extiende, creando influencia de una persona a otra. Desde luego, todo comienza con la iniciativa propia de un individuo que decide formarse como líder progresivamente, porque la gente primero quiere observar los cambios y verte madurar a ti, para identificarte como líder, y luego te respetará y emulará, creando dinamismo.

Vuelvo a repetir: «Aprender, Hacer y Orquestar» son pasos convenientes para planear el camino de un líder, desde el comienzo hasta que logra sus metas. El líder aumenta su liderazgo según progresa del Aprender al Hacer y del Hacer a Orquestar.

Cada nivel representa más prestigio, más respeto y buena reputación para el individuo, y esto se transforma en un ambiente productivo y de personas que se sienten estimuladas y respaldadas por su líder en su organización, en su familia, en su trabajo y en su lugar de residencia.

En los siguientes capítulos, deseo compartir contigo la actitud mental que se necesita en cada uno de los pasos: «Aprender, Hacer, y Orquestar». Estos conceptos de liderazgo serán explorados dentro de un contexto ilustrado de cada uno de los pasos:

Nótese que para desarrollar el liderazgo, la base es el individuo mismo, cuyo andamiaje no es plano ni horizontal, sino es emprender «paso a paso» un escalafón en ascenso hacia la cúspide que se avizora como una meta. Esto nos explica como un líder va escalando etapas progresivamente. Su clasificación aumenta y el impacto de su esfuerzo se aprovecha. Conforme el líder asciende desde el primer escalón llamado «Aprender» para situarse en el «Hacer», y del «Hacer» al «Orquestar», cada uno de los niveles previos se quedan con él para siempre. Sin embargo, al pasar por estos tres procesos, debes cuidar que no te invada la soberbia, la insolencia o arrogancia. Debe ser lo contrario; deberás nutrirte de humildad y tolerancia, porque el hecho de que un líder haya transitado desde el nivel de «Aprender» hasta el de «Hacer» no significa que puede dejar de aprender. Igualmente, que un líder avance a «Orquestar» no quiere decir que podrá dormir sobre sus laureles y dejar de aprender o de hacer.

Entonces, «Aprender, Hacer y Orquestar» representa un liderazgo progresivo donde un líder desarrolla nuevas habilidades mientras lucha por sus metas y expande su influencia. Un líder puede estar en varios niveles de influencia en diferentes áreas de su vida. De la misma manera, las mismas organizaciones pueden existir en diferentes niveles del liderazgo. Por otro lado, los individuos dentro de una organización se encuentran cada uno en un nivel de liderazgo. Con este trabajo, pretendemos orientar a los individuos y a las organizaciones para que logren sus metas. Y con base en esta información, planifiquen, desarrollen y hagan crecer sus negocios.

Capítulo Ocho

Nivel 1 - El aprender

«El deseo de aprender para llegar a ser un líder significa abrazar un estado mental donde el individuo acepta que aprender significa adquirir el conocimiento y la experiencia necesaria en muchas áreas del desarrollo humano.»

Todos aprendemos algo nuevo en cada instante de nuestras vidas. Eso es lo que hacemos desde el primer momento en que nos enfrentamos al mundo; es un proceso natural. Aprendemos en todas las etapas de nuestra vida, desde que abrimos los ojos al mundo hasta que los cerramos para siempre. Aprendemos de la naturaleza y del medio ambiente, pero en especial aprendemos de otros seres humanos. Nuestro cerebro está capacitado para absorber conocimiento; las neuronas, esas células diminutas que lo conforman, tienen la grandeza de grabar como una cinta en blanco, lista para absorber todo lo que le pongamos. Dios nos dio la capacidad de ver, oír o tocar algo y aprender de ello. Lo importante es que tengamos la voluntad de tomar ese aprendizaje para los propósitos que deseamos, para lograr cumplir nuestros sueños.

La base de todo aprendizaje es que los conceptos básicos tomen solidez en la mente y que por ende, hagamos uso de ellos, día a día, para entender los siguientes niveles de aprendizaje que se nos van presentando. Cuando no tenemos estos conceptos básicos de forma firme, entonces nos costará mucho más trabajo entender algo más sofisticado. No podremos aprender álgebra si no hemos aprendido primero la matemática básica.

Las matemáticas son un buen ejemplo. Si no aprendemos a resolver correctamente las operaciones básicas que son sumas, restas, multiplicaciones y divisiones, jamás podremos avanzar a operaciones más complejas, y siempre nos tropezaremos con nuevos obstáculos.

Es por eso que, a lo largo de este capítulo y los temas subsecuentes, reforzaremos los conceptos básicos que debes aprender para lograr avanzar progresivamente a los siguientes niveles de liderazgo, hasta alcanzar el nivel de un organizador y tener equipos de hacedores.

1. Aprende a tener confianza

Muchos de los emigrantes que vienen a este país llegan con mucha desconfianza. De ningún modo es su culpa; la vida les ha enseñado a desconfiar. Provienen de lugares donde la mentira se requiere para sobrevivir y donde las oportunidades ni siquiera se asoman. En sus pueblos, algunos emigrantes fueron trabajadores del campo donde probablemente sufrieron el abuso de los comerciantes que les pagaban miserias por la cosecha. Otros, con menos fortuna, perdieron todo por algún tipo de fraude. Y así podríamos escribir libros y libros con todas estas historias que regularmente están llenas de tristeza, de esperanzas perdidas y mucho dolor. Por eso deciden salir de su país para buscar otra oportunidad y lograr obtener primero las cosas básicas para sobrevivir, y con el tiempo y el trabajo arduo, una mejor calidad de vida, lo que es un deseo innato en cualquier ser humano en cualquier parte del mundo.

No obstante, ¿con qué se encuentran en el camino? Con gente maliciosa que los engaña, les roba, los discrimina, los ultraja, etc. Solo basta con echar un vistazo al precio que tienen que pagar nuestros hermanos centroamericanos para cruzar las diferentes fronteras o a los propios mexicanos al cruzar la frontera de México–Estados Unidos. Eso los convierte en personas muy desconfiadas, hurañas y con poca disponibilidad para creer en los demás. Se desenvuelven en su comunidad, pero les cuesta mucho trabajo relacionarse con otros. Lo más lamentable de todo esto es que han perdido la confianza en sí mismos. Por lo tanto, ellos, como muchos otros, necesitan aprender a recobrar esa confianza. Eso se puede lograr y puede que te preguntes cómo. ¡Aquí te presento un gran ejemplo para demostrarlo!

Una de las experiencias más interesantes que tuve en mi vida y en este negocio fue hace algunos años cuando Miguel García, uno de los asociados al negocio, comenzó a llamarme muy seguido. Algunas veces me dejaba un mensaje que decía así: «Usted no me conoce, pero un día me va a conocer». Miguel era un joven muy entusiasta y emprendedor que había estado en el equipo de gimnasia en la selección preolímpica de los Estados Unidos, así que la persistencia era una de sus cualidades. Me llamó frecuentemente durante casi un año hasta que decidí llamarle. Quería que yo fuera personalmente a ver al equipo que estaba formando en San Francisco, pero yo casi no salía a esas tareas, pues ya existían líderes que lo hacían muy bien.

—Hola Miguel, te llamo porque me has llamado casi a diario durante un año. No sé ni cómo conseguiste mi teléfono, pero... —y me interrumpió.

—Yo sabía que algún día me iba a llamar —respondió—. En efecto, le he llamado casi todos los días. Por lo tanto, usted ha estado pensando en mí. Quiero que venga a San Francisco a platicar con mi equipo. ¿Va a venir?

—Sí —le respondí. No podía decirle otra cosa después de lo que había escuchado. Su voz era firme y tenía la inquietud de ver lo que me mostraría una persona que ha insistido tanto.

—Allá nos vemos —me despedí.

Al llegar a San Francisco, fui con él a donde estaba esperándome su equipo de hombres y mujeres que había asociado y que estaba por reclutar para el negocio. Estacioné mi auto y comenzamos a caminar hacia unos edificios que estaban a unas calles de allí. Me sentí nervioso porque no sabía a dónde me llevaba. Cuando él notó mi ansiedad, solo expresó: «Venga, no se asuste. Por acá están todos».

En San Francisco, como en algunas otras ciudades de los Estados Unidos, los grandes edificios tienen sótanos donde se encuentra la infraestructura de servicio de las construcciones, pero la entrada no es por el frente, sino por la parte trasera y hacia allá me llevaba. En los rincones de esos edificios, se encuentran viviendo personas que *no* han tenido una mejor oportunidad; ahí duermen, cocinan y descansan. Hacia allá nos dirigimos, con esas personas y entonces, le dije...

—¿Y estas personas? ¿Aquí será la reunión?

—Sí, ellos son el equipo —respondió con seguridad.

—¿Estás seguro? —inquirí.

—¡Champs! Vengan todos, él es Juan Ruelas.

Saludé a todos, pusimos la pizarra y di mi presentación. Logramos algunos asociados y al salir me preguntó...

—¿Cómo ve al equipo?

—¿De dónde son? —pregunté antes de contestar, porque tenía muchas dudas sobre lo provechoso que me resultaría haber venido hasta acá a dar una presentación.

—¿Cómo que de dónde? —replicó a la defensiva— pues de México, ¿o no cree en ellos?

—Sí creo —balbuceé y sin darme tiempo de expresar mi verdadera opinión, me dijo...

—Deme seis meses, para que vea en lo que los voy a convertir, solo seis meses...

Pasaron un poco más de seis meses cuando me pidió volver a San Francisco, puesto que ese era el compromiso que yo había hecho con Miguel para ver que había logrado con ese equipo tan especial. Esta vez, desde el inicio todo fue diferente. La sede de la reunión cambió de los sótanos de los edificios a un elegante salón en un hotel. Las mujeres lucían lindas todas; bien vestidas y con un lindo maquillaje y los hombres, todos vestidos con saco y corbata y su laptop. Era el mismo equipo que había conocido en ese rincón del edificio, solo que lucían como un verdadero grupo de empresarios.

El registro era diferente. Ellos no usaban las tradicionales formas que llenábamos a mano; lo hacían en una computadora. Estaba asombrado y pregunté...

—¿¡Qué has hecho!?

—Jajaja, ¿pues no habla usted tanto de la neurona, «que el hombre es capaz de hacer lo que se imagina y se imagina lo que ve y lo que escucha... y que lo que aprendemos, lo aprendemos de otro ser humano...»?

—Todos los días, me los llevo a Starbucks. Todos compraron una laptop o tableta. Allí les enseño como navegar en internet para que conozcan todo lo que digitalmente se puede lograr en este extenso mundo de la tecnología.

—Miguel, no hay duda de que tú tienes amor por la gente. Mira en lo que los has convertido. Has transformado sus vidas.

Hoy, esa organización está conformada por personas emprendedoras y optimistas, líderes que trabajan día a día por un sueño. Pasaron de ser un grupo con pocas esperanzas que habitaba en los sótanos de los edificios, a convertirse en un grupo de líderes emprendedores que surgieron prácticamente de la oscuridad donde vivían para evitar el rechazo, y salieron a las calles para llevar un mensaje de prosperidad y esperanza. Lo que cambió en ellos fue la confianza que tienen ahora en sí mismos. Con este grupo no puede nadie; lo que se propongan lo pueden lograr. Aprender a tener confianza en las personas que desean compartir algo con nosotros y confiar en uno mismo nos permite ver las cosas desde otro ángulo. La confianza es la seguridad o esperanza firme que se tiene de otra persona. Por lo tanto, se convierte en una herramienta básica para mejorar como individuos. Tener confianza nos hace más receptivos para tener la mente abierta hacia nuevos horizontes.

2. Aprende lo importante que es tener un sueño y cómo llevarlo a la realidad

Hasta ahora, has leído en mi historia que un sueño es crucial para una vida gratificante. Para algunos, tener un gran sueño es natural; para otros como yo, un sueño necesita aliento, estímulo y ejemplo. Uno de mis propósitos es suprimir la idea de que se debe trabajar para cubrir necesidades, sin ninguna otra aspiración, por un nuevo concepto de renovación y fortaleza—como el ejemplo de nuestros amigos de San Francisco—y alimentarte con esa nueva idea de trabajar para cumplir tu sueño. Yo nunca en mi vida había escuchado la importancia de tener un sueño. De donde yo vengo, solo se hablaba de necesidades. Y la necesidad más grande que tuve que enfrentar desde que era pequeño fue la necesidad de comer. Cuando llegué a este país a los 15 años, le pregunté a la Señora Downing si yo tenía el potencial de ser alguien en la vida. Ella me preguntó cuál era mi sueño. Le dije que mi sueño era ser maestro como ella.

Ella notó una gran ilusión en mis ojos y me dijo que si estaba dispuesto a poner todo mi esfuerzo, yo podría realizar mi sueño. Desde ese entonces, ella creó un plan de acción para que yo me graduara con las clases necesarias y así continuar con mi formación para convertirme en maestro. Recuerdo que yo iba a la escuela con entusiasmo y con muchas ganas de aprender. Cada semestre que pasaba, me acercaba más a mi meta. A diferencia de mis compañeros que no tenían un sueño, su nivel de ánimo y desempeño era evidente. Iban a la escuela renegando y culpando a los maestros por darles mucha tarea.

Me he dado cuenta que es importante fomentar, desde la niñez, la importancia de tener un sueño y una meta en la vida. La actitud ante la vida es diferente entre los que tienen un sueño y los que llevan una existencia de sobrevivencia pura.

Como ya mencioné anteriormente, yo provengo de una infancia difícil, llena de carencias materiales, de vivir en una casa con techo de palapa y piso de tierra en lugar de mosaico o alfombra; con catres en lugar de camas; con fogones en vez de estufa para cocinar; con agua fría para bañarse, en vez de regadera con boiler y otras carencias no solamente económicas, sino afectivas. Tener un sueño y luchar por él no era parte de nuestra formación. Cuando apenas pude tener la fuerza necesaria, mi abuela me mandó a trabajar para que aprendiera a ganar el pan. Yo tenía siete u ocho años, no más. Nos mandaba a mi primo y a mí con los conocidos, a trabajar en el campo con una clara consigna: «No tienen que pagarles. Que se den por bien servidos con que les enseñen a trabajar». Con esas palabras, Mamá María nos dejaba en manos de quienes nos enseñarían a ganarnos la vida.

Lo primero que soñé con tener como remuneración de ese trabajo fue unos huaraches. Sí, tal como lo estás leyendo. Los huaraches son un tipo de sandalia de uso en México y algunos otros países latinoamericanos que existen desde antes de los tiempos de la conquista española. Los que yo conocía los hacían colocando el pie en una plantilla de llanta; la recortaban a medida y luego les colocaban unas correas para sujetarlos. Eso era mucho mejor que caminar descalzo. En la actualidad, el huarache o sandalia se hace de materiales y diseños diferentes, no solo en talabarterías, sino por cualquier fabricante de zapatos o sandalias. Los huaraches que tuve cuando era pequeño no eran nada parecidos a los que te menciono, pero fue así como aprendí a ganarme la vida, poco a poco, bajo la tutela de la abuela. Recuerdo perfectamente que siempre me inculcó ser útil y no pedir nada sin ganarlo. Cuando ella no tenía qué darnos de comer, nos enviaba a buscar un taco con el consejo de siempre: «Sirvan de algo y se ganarán la comida. No se acerquen a la mesa. Sean serviciales y esperen a que los inviten, pues es mejor que los inviten a la mesa a que los corran de la mesa», y así lo hacíamos un primo y yo.

Una ocasión que recuerdo con mucha claridad, por el significado que tuvo en mi vida, fue una noche cuando cayó una gran tormenta y el agua traspasaba el techo de palapa. Para aminorar el frío, Mamá María nos ofreció una taza de «canela» (agua pintada con una vara de canela, hoy conocido como té de canela) pero nos preguntó que si lo queríamos con azúcar o sin azúcar. Yo le dije que con azúcar. Entonces, nos dio una taza vacía y nos mandó a conseguir algo de azúcar regalada. Caminamos y tocamos en varias casas, sin resultados hasta que llegamos a una donde un señor nos la regaló, no sin antes hacer el comentario: «Algún día, a esa choza de palapa le va a caer un rayo y van a salir como ratas mojadas». Sus palabras no solo me molestaron, sino que me ofendieron y gracias a que mi abuela nos había enseñado a no responder y respetar a los adultos, me contuve de responder.

Sin embargo, me sentí preso de angustia por los sentimientos que me generó el malintencionado comentario del vecino y le pregunté a mi abuela:

—Mamá María, ¿por qué somos tan pobres?

Ella, envuelta en su rebozo, me miró, pero no me respondió...

—Mire, cuando yo sea grande, le voy a construir una casa para que no nos mojemos.

Entonces, ella me miró nuevamente y me dijo: «Mira, hijo, cuando seas grande, quiero que me prometas algo: Que vas a servir para algo, lo que sea, pero sirve para algo y no seas un holgazán».

Esas palabras tuvieron tal efecto en mí que, desde ese día, decidí que nunca rompería la promesa que le hice a la abuela y a mí mismo y que me dedicaría a ser útil para triunfar. Tenía apenas ocho años pero eso no me impidió soñar. Uno de mis sueños más anhelados era conocer a mi mamá quien hacía ya varios años había emigrado hacia los Estados Unidos. Mamá María me platicaba de ella y me la describía cada vez que le preguntaba y me repetía: «Algún día regresará por ti y te llevará». Por lo tanto, viví esperando cada día.

Por las mañanas, iba a la escuela y por las tardes trabajaba y así fueron pasando los años hasta que un día al regreso de la secundaria, miré desde lejos a una señora sentada junto al pretil. Era una mujer de tez morena, muy arreglada, con un lindo maquillaje y simplemente hermosa. Mama María me miró de una forma extraña y me dijo: «Acércate a ella y dile que te diga quién es», pero no fue necesario preguntar. Aún no me acercaba lo suficiente cuando ya sentía quien era... se levantó y me abrazó. Yo me perdí profundamente en sus brazos y lloré, lloré y lloré antes de poder decir algo. En sus brazos, derramé lágrimas que eran una combinación de alegría, de esperanza y del amor que tanta falta me hacía. Ella era mi madre que llegaba por mí para llevarme a los Estados Unidos. La felicidad que sentí fue simplemente indescriptible. Lo había deseado toda mi vida desde que tenía conciencia y estaba seguro que algún día pasaría.

Tener un sueño lo cambia todo. Cuando en verdad lo deseas, se convierte en tu fuente de energía y te da la voluntad que necesitas para hacerlo realidad. La importancia de tener un sueño por el cual luchar radica en que es justo «un sueño» lo que nos va a dar la fuerza para luchar contra viento y marea. El sueño de lograr algo en la vida es lo que a mí me ha impulsado a poner la acción.

Todos necesitamos soñar, visualizar un sueño que enmarque el estilo de vida que deseas para ti y tu familia. La calidad de vida que deseas cuando tengan hijos y nietos. Para soñar se requiere voluntad. La voluntad te da la fuerza para construir el sueño. El sueño provoca entusiasmo y la actitud correcta para materializarlo.

3. Aprende a edificar tu autoestima y sentir motivación

Hasta el día de hoy, estoy muy agradecido con la Señora Downing, porque fue quien siempre me impulsó a perseguir un sueño. Siempre escuché de ella un: «Tú puedes», «Vamos, eres el mejor», «Lo vas a lograr». Fue entonces que entendí la ideología del norteamericano. Recuerdo muy bien que cuando jugaba al fútbol, escuchaba diferentes frases entre los papás de los niños estadounidenses, todas de aliento hacia sus hijos, aunque cometieran errores en el juego. Por otro lado, los padres latinos, cuando sus hijos cometían errores, les gritaban enojados, condenaban sus errores y hasta los insultaban.

La forma como estos padres latinos le hablaban o gritaban a sus hijos no es una buena manera de edificar una buena autoestima para nadie. A mí no me acompañaba mi familia, pero mis amigos de la escuela siempre me motivaban y si cometía un error al tocar el balón, en lugar de condenarme, me daban palabras de aliento: «*Good try, Juan, good hustle*» (buen intento Juan, bien hecho). Eso realmente me hacía sentir bien; me levantaba la autoestima y me inyectaba una buena dosis de ánimo. Hasta la misma Señora Downing gritaba lo mismo. La cultura del mexicano que yo veía en los Estados Unidos no era la misma y pensaba en mi interior: «Mientras aquí se acostumbra a edificar el ánimo, en nuestro país se dedican a destruirlo».

Un líder necesita rodearse de personas que le eleven el ánimo y lo fortalezcan. Todos sabemos que hay esfuerzo y sacrificio involucrado mientras estás luchando por lo que quieres. Un líder no necesita críticas que ahoguen sus esfuerzos. También es importante entender que hay que visualizarse como un triunfador. Visualizar las recompensas es fundamental. Escuchar testimonios de otras personas que han venido por el mismo camino nos permite darnos cuenta de que nosotros también podemos, especialmente si compartimos un pasado similar. Recuerda que apoyarse en los testimonios de otras personas que han recorrido el mismo camino, tienen una historia similar y ya lograron sus sueños nos hace sentir que lo que estamos luchando por conseguir es realizable y alcanzable. Por lo tanto, permitamos que otros líderes nos sirvan de inspiración. Así podremos encontrar una guía, un modelo a seguir.

Lee un libro, mira un vídeo, escucha un audio con el testimonio de alguien que es igual que nosotros y con las mismas capacidades, pero que descubrió el camino antes y que nos lo puede mostrar con el relato de su propia experiencia y motivarnos a seguir por ese mismo camino que lo llevó al éxito. Presta atención a su testimonio sin compararte, envidiar o menospreciar. Por el contrario, hagamos de esa vivencia una motivación, busquemos el camino que nos está mostrando, para eso nos lo comparte, para ayudarnos y ahorrarnos algunos de los obstáculos que ha tenido que superar. Motívate, edifica y eleva tu autoestima... ¡Tú puedes!

4. Aprende a comprometerte y a adquirir disciplina

¿Eres una persona que se compromete? Aun si tu respuesta es «no», tengo buenas noticias. El compromiso se puede aprender y practicar. Cuando una pareja decide contraer matrimonio, se dice que están comprometidos y empiezan a trabajar apasionadamente en los preparativos de la boda; nada los distrae y esta labor es prioritaria. Comienzan a caminar juntos en la toma de decisiones, se comunican constantemente y se visitan todos los días, pues saben bien que existe un sueño por delante que hay que cumplir y que hay que cumplirlo bien. Por eso le decimos que están comprometidos. Luego al llegar el día de la boda, no importa si es por lo legal o por lo religioso ni tampoco por qué religión se lleve a cabo; simplemente, nos dicen: «¿Prometes cuidar, velar por tu esposa, en la salud, en la enfermedad, en lo próspero y en lo adverso?». En ese momento, estamos adquiriendo un compromiso y luego viene el lazo. Ese lazo representa el compromiso que hemos adquirido con nuestra pareja y la promesa significa que lo haremos siempre y cada día de nuestras vidas. Es una atadura a nuestra pareja y al proyecto de vida juntos.

El compromiso funciona igual en todos nuestros proyectos de vida. Los compromisos que adquirimos son los que nos llevan a conseguir logros. El no comprometernos daría el efecto contrario. Por ejemplo, la puntualidad es un signo de compromiso y, más que mostrar una educación impecable, denota respeto y consideración por los demás. El no llegar a tiempo a nuestras citas envía una muy mala señal y provocaremos una impresión no solo de informalidad, sino de falta de compromiso. Las personas a nuestro alrededor perderán la confianza en nosotros; llámense nuestros clientes, amigos y hasta la propia familia. Muchos individuos no tienen buena reputación en cuanto al compromiso. Acostumbramos decir «nos vemos mañana en la tarde», pero no fijamos la hora exacta o decimos que sí, pero no decimos cuándo o bien, hacemos citas que después postergamos y eso no nos llevará a cumplir metas.

> **De la misma forma como nos unen con el lazo del matrimonio, así nos debemos atar a nuestro sueño y serle fiel en lo próspero y en lo adverso.**

Compromiso es atarse a uno mismo, es comprometerse con nuestro sueño, amarrarse a él y trabajar en función de él. *De la misma forma como nos unen con el lazo del matrimonio, así nos debemos atar a nuestro sueño y serle fiel en lo próspero y en lo adverso.* Trabajar contra viento y marea, sorteando obstáculos y disfrutando de los triunfos, porque el sueño nos pertenece; nos amarramos a él como él a nosotros y él no nos dejará, mientras nosotros no lo soltemos.

Tal como con el compromiso, la disciplina se puede aprender. Mucha gente se da por vencida y se etiqueta como «indisciplinada» conforme va creciendo. Afortunadamente, esta etiqueta es una mentira, si solo se dieran cuenta que pueden crecer, poco a poco, en cualquier área de su vida. Debemos entender que cada uno de nuestros pasos debe siempre conducirnos al logro de las metas propuestas. Si no hacemos así las cosas, cada paso que tomemos, nos alejara más y más de nuestro objetivo. Es muy sencillo: El simple hecho de que caminemos de frente, invirtiendo nuestro tiempo y no caminemos en zigzag perdiendo el tiempo, nos permitirá construir buenos hábitos y eso nos acerca cada vez más a nuestras metas.

Al levantarnos, cada día debemos procurar dar dirección a nuestras acciones. Si repetimos esa rutina constantemente, se convertirá en un hábito y así conseguiremos una disciplina en nuestro quehacer diario. Disciplinarnos nos permitirá aprovechar el tiempo y será nuestra mejor inversión para obtener los frutos del futuro que deseamos. También nos permitirá enfocarnos en los objetivos y alcanzaremos el éxito con serenidad.

5. Aprende a dar al aprendizaje una alta prioridad y las lecciones importantes de aquellos que obtienen buenos resultados

Al escribir estas palabras de «aprender a dar al aprendizaje una alta prioridad», es como si escuchara a la Señora Downing cuando le dije que deseaba ser maestro como ella. Recuerdo que me dijo que mientras estuviera dispuesto a hacer el trabajo de poner los estudios como prioridad, yo podría convertirme en un maestro como ella. Cuando uno ya ha logrado establecer su sueño, comprometerse y edificar la autoestima que nos brinda la confianza en nosotros mismos, entonces debemos entender que lo que ya sabemos nos llevó hasta este punto, pero que esto es solo el punto de partida de un sinuoso camino al éxito. Por lo tanto, debemos entender que a partir de este momento, nuestra prioridad es seguir aprendiendo para poder progresar y no estancarnos. Nuestro presente es el reflejo de lo que aprendimos en el pasado. Lo que aprenderemos en el futuro se verá reflejado en la posición que ocupemos en ese momento. Siempre existen nuevas cosas que aprender y esas cosas o aptitudes marcarán la diferencia para avanzar y dar saltos hacia los escalones que vamos subiendo.

La Señora Downing sabía que yo estaba listo para aprender nuevas habilidades. Por lo tanto, no quería que me distrajera. Ella sabía que, en este sistema de libertad, uno puede caer en la trampa del libertinaje. Es como las caras de la moneda: inviertes tu tiempo o lo malgastas. Ella se aseguró de que yo entendiera y aceptara este principio de colocar los estudios como una prioridad. Es cierto que había distracciones inherentes a la edad como salir con los amigos. También había retos financieros y familiares. Pero aun así, las palabras de la Señora Downing resonaban en mis oídos.

—Juan, en la vida hay que saber establecer prioridades. Haz cosas de acuerdo a lo quieres lograr. No hagas cosas que te alejen de lo que deseas. O inviertes tu tiempo o lo malgastas.

Las habilidades que estaremos aprendiendo en el camino serán nuestras herramientas para enfrentar los nuevos retos, pues se nos presentarán con un grado de dificultad cada vez mayor. No abrir la mente al aprendizaje y aferrarnos a lo que ya sabemos es como ir a una guerra sin fusil; es como enfrentar la comunicación sin un teléfono móvil o sin un dispositivo con Internet. Lo que hasta el día de hoy nos ha funcionado, no necesariamente funcionará en el futuro. Debemos avanzar al mismo ritmo que nuestros retos o estaremos condenados al rezago y al estancamiento y nuestros sueños se estarán alejando de nosotros. Entonces, una vez que tengas tu sueño definido, hay que establecer el aprendizaje como una prioridad y tener en mente que «renovarse o morir».

Un doctor produce a un doctor, un abogado produce a un abogado, un ingeniero produce a un ingeniero, un mecánico produce a un mecánico. Todo lo que aprendemos, lo aprendemos de otro ser humano. Si bien decimos que debemos aprender, entonces también estamos diciendo que debemos tener un maestro, un guía que nos enseñe o de quien aprendamos, aunque no nos este enseñado intencionalmente. *Todo líder debe tener a quién seguir. Solo mirando hacia arriba, podemos darnos cuenta que aún nos faltan escalones por recorrer. Si no tenemos un líder porque pensamos que nosotros somos los líderes más altos, nunca sabremos qué hay más arriba y como consecuencia, nos quedaremos abajo pensando que ya llegamos a la cima.*

Cuando escuchamos el testimonio de alguien que ya está disfrutando de las mieles del sueño cumplido, debemos prestar toda nuestra atención, averiguar que está haciendo y qué hizo tan bien que está en esa posición privilegiada. Lo que aprendamos de él puede ser lo que nos hace falta para avanzar. Seguramente, ese líder también tiene su propio líder. Los atletas deportivos también tienen un modelo a seguir, a quien copian o emulan. Aunque parezca increíble, el mismo Pelé tenía sus modelos del futbol a quienes seguramente copió algunas de sus fantásticas jugadas y lo único que eso le trajo como consecuencia fue que un día los superó.

Yo mismo me considero a alguien que emula a otros líderes. Cuando conozco a un triunfador, busco de inmediato cuáles son sus cualidades y entonces empiezo a aprender de él. Pregunto cosas, pruebo conmigo los consejos, puedo hasta convertirme en su sombra para absorber todo lo que me pueda enseñar. He viajado, incluso, a otros países solo para convivir con algún personaje que considero exitoso para aprender de él todo lo que pueda. Asimismo, yo recibo visitas de otros que quieren aprender de mí y me persiguen hasta lograr acompañarme en el camino y anotan es sus libretas lo que hago, lo que digo y hasta lo que no digo.

La soberbia de sentir que lo sabes todo solo te estorbará en el proceso del aprendizaje. Recuerdo que mientras estudiaba en la universidad y tras obtener mi maestría, me mantuve bajo la guía de la Señora Downing. Fue con su consejo y sus palabras de afirmación que me atreví a solicitar a un programa de Doctorado y que eventualmente, me convertí en maestro como ella. Reitero, si no aprendemos algo nuevo cada día, nos atrofiaremos y nos quedaremos pasmados, observando como otros avanzan.

Es importante saber a quién vamos a seguir e identificar no solo al exitoso, sino al de buen corazón y que esté dispuesto a enseñarnos. La Señora Downing tuvo la disposición de guiarme y por lo tanto, nosotros debemos responder con la misma moneda y abrirnos a que nos enseñen sin juzgar, sin criticar. La Señora Downing no era perfecta y quizás al estar cerca de ella, pude haber conocido sus errores. No obstante, a pesar de cualquier error que pudiera cometer, ella fue mi ejemplo a seguir. La humildad es una de las más bellas virtudes del ser humano, pero no todos contamos con tal virtud; por lo tanto, aprendamos a sentir humildad y practiquémosla constantemente. Es más, podemos empezar desde el hogar. Mama María siempre me enseñó a respetar a los mayores, a ser paciente con ellos y a tolerar sus cambios de humor, imperfecciones y hasta las sinrazones con humildad. Cuando fui profesor, descubrí que a nadie le gusta enseñar a los tercos. Es más, lo aprendí desde que fui estudiante, cuando obtuve la peor calificación del grupo en una clase en la que se suponía que yo lo sabía todo y a la cual llegaba cuando quería y a la hora que quería, sin darle importancia a la profesora. Cuando le pregunte por qué me había puesto esa calificación solo me dijo: «Esa calificación es la que te mereces por tu actitud, porque te crees mucho y porque debes aprender que el hecho de que sepas mucho no quiere decir que lo sabes todo».

Fui a hablar con todo el mundo, con el decano, el rector; solo me faltó la corte celestial. Tuve que repetir la materia con ella misma y someterme a sus reglas para sacar una buena calificación. Claro que cuando me dediqué a escucharla con toda mi atención, me di cuenta que no lo sabía todo y aprendí mucho con ella. Incluso mi relación con esta profesora mejoró a tal grado de convertirnos en amigos. Es emocionante cuando tu guía es tu propio amigo.

6. Aprende a tener un guía y buscar lo bueno de quien esté dispuesto a enseñarte

El aprender a escuchar verdaderamente para entender a quien te está enseñando requiere práctica y es esencial para un líder. Todos podemos aprender y todos debemos continuar aprendiendo para ser verdaderamente exitosos. ¿Aprenderías técnicas agrícolas sin escuchar de alguien que ha tenido éxito en el campo? ¡Yo tampoco! Sin embargo, un buen aprendiz sabe escuchar y es paciente para entender lo que se le está enseñando. Además, debe tener la mente abierta para procesar lo que escucha y no actuar por impulso.

Es muy importante mantenernos atentos a las instrucciones. Estar atento y ser capaz de discernir los consejos para ubicar las cosas clave es fundamental en este nivel. Las personas que no prestan atención o que no aceptan la instrucción con facilidad se alejan del camino y a veces es difícil reubicarlos. Recuerda que cuanto más interés muestres en aprender, tu guía va a tener una mejor disposición. Un antiguo proverbio Zen dice: «Cuando el alumno está preparado, aparece el maestro».

Examinemos las tres palabras claves de este proverbio zen:

Alumno es una persona que está dedicada al aprendizaje. Está abierta y dispuesta a aprender de todos. Es decir, en su interior hay espacio y disponibilidad para un nuevo saber. Ser alumno significa tener espacio interior para un nuevo saber.

Preparado es estar listo para consumir la información. Es decir, tienes espacio en tu mente. Eres un vaso vacío y no lleno donde se derramará lo que se te comparta. Tienes ansias de saber y, sobre todo, tienes disposición.

Maestro se llama a la persona que brinda enseñanza. Es una persona habilitada con los conocimientos y capacidad necesaria para compartir sus conocimientos. En cuanto estés dispuesto, encontrarás maestros en cada rincón de tu vida. El maestro puede, muy bien, ser alguien dispuesto a ayudarte y guiarte hacia tus metas.

Voy a contarte algo personal. Yo fui maestro gracias a que tuve a una persona que me guiara. La Señora Downing apareció por la disposición que tuve de buscarla. Mi disposición hizo que obtuviera su atención. A ningún maestro le gusta enseñar a un terco o a alguien que no preste atención. Es importante ser noble. Recuerda que la nobleza te engrandece, pues tu guía se va a dar cuenta de que valoras la enseñanza que se te está impartiendo. Por lo tanto, tu mentor o mentora tendrá el estímulo de compartirte más de su conocimiento. En nuestro modelo de negocio, recibirás asesoría a través de tu guía y en ocasiones, te recomendará que escuches audios, leas libros y asistas a conferencias. No ignores lo que se te comparte.

> **Ningún individuo planea fracasar; fracasa por la falta de planificación.**

Encontrarás respuestas a muchas de tus preguntas mientras te mantengas con esa disposición de poner atención. Recuerda que antes de ser maestros, los maestros primero fueron estudiantes.

7. Aprende a establecer metas y objetivos

Ningún individuo planea fracasar; fracasa por la falta de planificación. Esto lo tuve que aprender muy temprano en la vida. Recuerdo cuando llegué a los Estados Unidos a los quince años. No tenía un guía, ni mucho menos un plan para construir mi profesión de forma gradual. Por lo tanto, no tenía dirección y no logré nada académicamente en mi primer año en este país. Fue en 1986, a un año después de haber llegado a los EE.UU., que me acerqué a la Señora Downing. Hay un dicho popular que dice: «Inteligente es aquél que aprende de sus experiencias y sabio el que aprende de las experiencias de otros que han tenido éxito, porque para llegar allí se han equivocado y han corregido». Lo único que tuve que hacer fue bajar la guardia. Es decir, me despojé del orgullo y engrandecí mi humildad. Me acerqué a la Señora Downing y le pregunté cómo y qué tenía que hacer para convertirme en maestro como ella. Inmediatamente, hicimos una cita y planificamos las clases que iba a tomar el resto de los tres años en la *High School*. Aun después del bachillerato, la Señora Downing se aseguró de establecer metas para mí en cada etapa de mi formación durante la universidad. Después de algunos años, terminé mi carrera y me convertí en un profesor. Podría decirte que logré mi objetivo gracias a dos cosas: Tuve una mentora y aprendí a establecer metas.

Con base en lo anterior, puedo decirte que es muy importante aprender a permitir que alguien te ponga metas, por tres razones: Una, sabes que esta persona te observa, por lo tanto, la dignidad te impulsa a lograrlas. Dos, el nivel de compromiso de poner el esfuerzo aumenta.

Tres, aprendes a establecer prioridades entre las metas establecidas y las cosas que te hacen perder el tiempo.

En Equipovisión, tenemos un gran número de líderes que entienden esta actitud mental. Por ejemplo: Juan Antonio y Dora tienen una visión de su futuro y una razón para planificarlo. Leo y Selene Ramírez reconocen su propio potencial y los logros que deben tener gradualmente para acercarse a sus objetivos. Juan y Blanca Murillo definen sus metas que les dan sentido, valor y reto. A través del establecimiento y logro de sus metas, Sergio y Martha Aguilera le han dado bienestar a su familia. Luis Ruíz establece metas por escrito, metas específicas, medibles, cuantificables y realizables. Lupe y Flor Jasso tienen claros sus valores y su propósito en el mundo. Logran sus metas sin poner en riesgo su reputación ni mucho menos sus valores. Gerardo y Graciela Suárez definen por qué quieren lograr sus metas. Elaboran un plan con acciones, secuencias, prioridades, recursos, fechas y elementos de medición, lo cual requiere concentración y dedicación. Miguel y Francis Acevedo monitorean permanentemente si lo que hacen los acerca o los aleja de su meta. Bernabé y Avilene García tienen el compromiso de lograr sus metas. Por eso hacen lo que se tiene que hacer. Jorge y Mónica Martínez organizan equipos de trabajo que les apoyen en la realización de sus metas. Evaristo y Aracely Rubio saben que es importante hacer cambios, tener más conocimiento, rodearse de personas que les apoyen y aún más importante, saben que con cada paso que den, los llevará hacia la conquista de sus sueños.

Recordemos que los seres humanos nos diferenciamos de otros seres por la capacidad de soñar y de planificar nuestro futuro. Eso nos lleva a elegir la vida que queremos vivir. Por eso es importante aprender a establecer metas que tengan el propósito de conducirnos hacia nuestros anhelos.

8. Aprende procesos y métodos de ejecución

El águila fugitiva
Después de mucho tiempo intentando atrapar a un águila, un hombre al fin consiguió su propósito. Para evitar que se escapara tan codiciada ave, le anudó un hilo muy fino a una de sus patas y se la llevó a su hijo como regalo.

A pesar de que su pequeño dueño se desvivía por darle los mejores cuidados del mundo, el águila no se sentía cómoda en su nuevo hogar.

Una tarde, mientras el pequeño limpiaba la jaula que le servía como hogar, el águila, frustrada y guiada por su instinto y sin planificarlo, aprovechó que nadie la vigilaba para escapar por la ventana y volar hacia el lugar en que estaba construido su nido.

Tan emocionada estaba por recobrar su libertad, que al posarse sobre su árbol, el hilo que colgaba de una de sus patas se enredó en varias ramas. Al darse cuenta de la situación, comenzó a aletear con todas sus fuerzas, enredándose ella misma cada vez más. Atrapada y desesperada, expresó con resignación:

—¡Qué tonta he sido! Por culpa de mis instintos y por no planificar, voy a terminar mis días en el árbol que me vio nacer.

Una vez que hayas establecido tus metas y objetivos, entonces el siguiente paso es aprender los procesos y los métodos de ejecución para consolidar esos objetivos. En Equipovisión, hemos desarrollado estos procesos y métodos que abren nuevas oportunidades a cualquier individuo que tenga el deseo de salir adelante. Ese ha sido el lema de nuestra empresa. Estos métodos te dan la dirección, la sinergia y la sabiduría para lograr los resultados esperados. Hay un sinnúmero de líderes que respaldan, con hechos, los métodos y procesos que usamos para desarrollar la red en relación a la venta directa. Disponemos de información en audios, folletos y libros donde describimos nuestras técnicas.

El plan operativo contiene información esencial y una descripción cuidadosa de la forma de hacer las cosas. Es importante señalar que la estrategia que implementamos es a prueba de fracaso. El fracaso se presenta, en muchos de los casos, por la falta obvia de ejecución. Pues de nada sirve que sepas hacer algo y no lo hagas. Espero ser claro. Cuando la negligencia hace su aparición de parte del factor humano dentro de un plan operativo, como he mencionado, a prueba de fracaso, el plan seguirá funcionando de forma perfecta para aquéllos que se apegan a él con dedicación, esfuerzo, atención al aprendizaje, y sobre todo, teniendo en mente esa meta u objetivo a lograr. No obstante, si se descuida la ejecución, que no es solo una táctica, sino una técnica y una disciplina, el sistema operativo no funcionará para esa persona.

Muchas veces, no obtenemos resultados por la falta de conocimiento acerca de cómo implementar las técnicas. Recordemos que ninguna estrategia rinde sus frutos a menos que sea convertida en acción.

Estas acciones son la implementación de un conjunto específico de técnicas y comportamientos que la organización necesita para lograr obtener una ventaja competitiva.

En Equipovisión, los líderes hemos diseñado estrategias que al ser ejecutadas de forma correcta y diligente dan su fruto, pero gran parte de ellas se quedan en el papel. Nuestros métodos de ejecución indican, paso a paso, lo que se tiene que hacer. Solo es cuestión de estudiarlas e implementarlas.

Si nuestros asociados carecen de los métodos y procesos de ejecución, su efectividad es nula y no vemos caso alguno en patrocinar personas de las que no tendremos garantía si lograrán el éxito. Nuestro propósito es y siempre ha sido, desde que aprendimos de la forma más ruda, que las personas que estén listas para emprender el negocio deben estar bien preparadas y con el conocimiento necesario para enfrentar cualquier reto. A diferencia de lo que nos ocurrió a nosotros con personas sin escrúpulos que, en lugar de alentarnos, entrenarnos y guiarnos hacia el éxito, echaron por la borda nuestros esfuerzos de tiempo, esfuerzo y dinero invertido, aun sacrificando el cuidado de nuestro pequeño hijo. Eso nos impulsó a diseñar una estrategia que no permitiera que ocurriera a otros lo mismo. Nuestro fin ha sido nunca repetir esa experiencia para nuestros socios y lo hemos logrado. Es fundamental para Equipovisión que nuestros métodos de ejecución siembren las semillas que germinen y den su fruto a tiempo. Eso fue lo que nos dio la inspiración para fundar Equipovisión: evitar que cada asociado caiga en el desaliento y la frustración.

El que entiende los métodos, amplía su perspectiva y se fija metas realistas. El visualizar metas realistas, nos permite enfrentar los obstáculos y no vivir con falsas expectativas. Hablar de manera franca y abierta simplifica las cosas, con el fin de que nuestros colaboradores puedan entenderlas, evaluarlas y en consecuencia, actuar con sentido común.

Contar con metas claras y sencillas carece de significado si nadie sabe cómo lograrlas. En algunas reuniones de trabajo, la gente sale sin conclusiones claras; no saben cómo empezar o a quién acudir para realizar el trabajo. Todos pueden haber estado de acuerdo con que la idea era buena, pero al no haber definido a un responsable, no se pone en práctica. Luego de la reunión, es posible que las personas encuentren otras alternativas de solución; sin embargo, al no haberlas puesto en manifiesto, analizado y concretado en la reunión, tampoco se ejecutan.

Hacer seguimiento de los compromisos adquiridos por las personas es una responsabilidad indelegable de los líderes.

9. Aprende acerca de las recompensas

Cuando me presentaron esta oportunidad de negocios en relación a la industria de venta directa, hice dos preguntas: 1) ¿De dónde viene el dinero? y 2) ¿Qué hay que hacer para ganarlo? La palabra recompensa significa retribución, premio o reconocimiento por el logro de resultados. Si yo te invitara a caminar 200 millas, ¿aceptarías hacerlo? La pregunta que quizá tendrías sería acerca de la razón por caminar. Yo te respondería que no hay ninguna, solo caminar. Tal vez no aceptarías mi invitación. Ahora, si yo te dijera que quien camine 200 millas, recibirá un millón de dólares, ¿aceptarías la invitación? Suena muchísimo más interesante y cambia la perspectiva. ¿Qué fue lo que cambió? ¿La distancia o el incentivo? Cuando una persona tiene una razón para hacer algo, lo hace, porque hay un estímulo de por medio. Por lo tanto, cuando alguien emprende un proyecto, es muy importante ver cuál será la remuneración. Si no se tiene claro qué vamos a obtener a cambio del esfuerzo, el compromiso no será el mismo.

Mi experiencia en este negocio me ha permitido darme cuenta que cuando las personas tienen claro cuál será la ganancia, tienden a esforzarse conscientemente por cada una de las labores que realicen. Esto saca de la obscuridad al nuevo asociado y no afectará su desarrollo. La solución que le damos son tres puntos relevantes: Primero, enseñar a los líderes que deben mostrar muy claramente el plan de compensación. Segundo, indicar con toda transparencia el monto de las ganancias por el esfuerzo; y tercero, enseñarles a los nuevos asociados a preguntar sobre sus compensaciones. Claro, los líderes deben estar siempre listos para contestar la pregunta sin miramientos ni dudas. Esto hará que este proceso sea completamente transparente. El buen líder nunca oculta ni manipula las ganancias de un asociado. En nuestra asociación, hemos creado un plan de compensaciones que no deja lugar a dudas desde el inicio. El asociado sabe cuánto obtendrá de ganancia por su esfuerzo y de esa manera, tiene claro lo que debe hacer para lograr su objetivo monetario.

Asimismo, cada uno de los líderes está obligado a trasmitir la información a su equipo desde el primer momento, sin dudas ni contratiempos. Si la respuesta a la pregunta «cuánto voy a ganar» no es clara o deja dudas, eso tendrá un impacto muy negativo y la relación quedará afectada. Bien lo dice el dicho: «Cuentas claras, amistades largas». Nunca debemos contestar: «Luego lo vemos», «Eso te lo explico después», o «Déjame preguntar». Esto solo causará desconfianza en los asociados y un líder que no cuenta con la confianza de su equipo no tiene influencia. Si bien servir es un privilegio, esto no es la remuneración. La remuneración está en proporción al esfuerzo que está ligado íntimamente con el establecimiento de metas, pero lo más importante es que está aún más ligado al esfuerzo consciente de que obtendremos frutos.

La base para una buena conducta consiste en relacionar las recompensas al desempeño y hacer que esos vínculos sean transparentes. Esta cultura tiende a respetar los resultados, a respetarlos y reconocerlos. Las personas que reciben reconocimiento es debido al interés que tienen por ejecutar convenientemente la estrategia y por cumplir con los compromisos.

Para lograr que todas las personas sean compensadas en forma justa y equitativa, se debe considerar el esfuerzo, la creatividad, la responsabilidad y la eficiencia de las personas y/o los equipos de trabajo.

El reto no es diseñar un sistema perfecto de remuneraciones, sino desarrollar un proceso continuo que minimice las distorsiones y anime a trabajar como equipo.

10. Conoce la identidad de la organización a la que perteneces

En mis comienzos, escuchaba una serie de grupos de apoyo. Constantemente se me preguntaba a qué equipo pertenecíamos. Yo no tenía una respuesta. Me he dado cuenta que el ser humano, por naturaleza, vive buscando una identidad que le brinde la tranquilidad de pertenecer a un grupo social. Este sentir de pertenencia provoca que las personas trabajen más a gusto; permite que «se pongan la camiseta del equipo». Es por eso que nuestra organización trabaja para dar a sus miembros una identidad que los haga sentir parte de la organización y un sentido de pertenencia que les impulse a brindar lo mejor de ellos mismos.

Uno de los aspectos importantes para lograr una identidad es conocer la historia de la empresa a la que pertenecemos: sus inicios, sus logros, altas, bajas y los tropiezos. Esto nos permite sentirnos parte de los logros grupales y nos ayudará a aportar nuestro granito de arena. También es importante saber cómo se dieron las cosas en los comienzos. De esa forma, nos damos cuenta por qué se hacen las cosas como se hacen. Esto nos da una perspectiva más amplia para dar pasos firmes. Es fundamental saber los pasos que se dieron y que se han seguido para pisar en terreno firme y evitar tropezar por los mismos errores. *Estar enterado de las acciones que se han emprendido antes sin resultados nos librará de realizar o proponer las mismas acciones.*

Así como debemos conocer la historia de un país para entender el presente, debemos conocer la historia de la organización a la que pertenecemos. Quiénes fueron los líderes del pasado y hasta dónde llegaron. Quiénes son los actuales líderes para sumarnos al esfuerzo del equipo. Conocer, por lo tanto, la historia de la empresa a la que pertenecemos es fundamental;

> **Estar enterados de las acciones que se han emprendido antes sin resultados nos librará de realizar o proponer las mismas acciones.**

de lo contrario, solo seremos una persona más que está por allí sin un propósito en común. Solo así entraremos al ritmo de la misión y aceptaremos lo que ya está hecho por la empresa y tomarlo para partir desde ahí y no desde cero. Solo cuando conozcamos toda la historia de lo que la empresa ha hecho podremos innovar sin el riesgo de proponer como innovación algo que ya fue hecho antes sin resultados.

11. Aprende del medio ambiente de la organización a la que perteneces

«Donde fueres, haz lo que vieres» es una frase célebre que nos dice cómo debemos comportarnos en el lugar y ante las personas con las que estamos. Lo que quiero decir con esto es que el buen líder debe aprender a contemplar su alrededor y reconocer el ambiente en el que se encuentra. No siempre deberá hacer lo que todos están haciendo. El ser humano tiene la capacidad de reconocer cuando el ambiente en que se encuentra es seguro o si más bien es un ambiente en el que no debe estar, porque no es lo que lo llevará hacia su objetivo, sino que lo alejará de él.

Recuerdo muy bien cuando una amistad me invitó al hipódromo a ver las carreras de caballos. Fui con toda mi familia porque así fue la invitación. Al llegar y después de saludarnos, comenzó la lección.

Lo primero que me pusieron en la mesa fue una cerveza abierta para reafirmarme la invitación. Solo que había dos cosas que estaban fuera de mis costumbres. La primera, el simple hecho de beber y la segunda es que la invitación fue realizada con palabras altisonantes a las que no estoy acostumbrado a decir o escuchar, y menos delante de mi familia. De hecho, mi hijo Ángel me hizo la observación de las dos cosas, preguntándome si esas palabras eran «malas palabras» y si de verdad me tomaría esa cerveza. Mis respuestas fueron contundentes: *sí* a la primera y *no* a la segunda. La cerveza se calentó en la mesa y entonces me sirvieron otra más fría, que también se calentó.

Nos fuimos a ver los caballos y entonces me invitaron a invertir en uno de ellos. La idea no sonaba tan mal y aunque no sabía de ese negocio, tengo el hábito de aprender. Pero en realidad, lo que me alejó fue el ambiente que me rodeaba y que no era compatible conmigo y mucho menos con mi familia. Entonces decidí no hacerlo. Es importante no poner en riesgo nuestros sueños.

En Equipovisión, se vive un ambiente de mucho ánimo y de una forma familiar. La vestimenta se podría decir que es muy formal. Creemos que la formalidad atrae a las personas y la informalidad las aleja. Estoy convencido de que el ser humano tiene la facultad de ver el ambiente en su entorno y percibir si ese ambiente es bueno o malo.

12. Aprende que cuando se emprende algo nuevo, hay oposición

Todavía recuerdo que cuando emprendimos esta oportunidad, mi mamá se opuso y también los padres de Alicia. Recuerdo que mi madre me dijo: «Hijo, tú eres maestro, no necesitas hacer eso.» Uno de mis cuñados me cuestionó, expresando: «Si eso fuera cierto, todo mundo lo haría». Este comentario casi me desanimó por completo.

Ten cuidado a quién le confías lo que deseas o emprendas, porque se pueden burlar de ti. No permitas que la oposición te desanime. La oposición puede estar disfrazada de algún pariente a quien respetas mucho o quizá de un amigo o compañero de trabajo. Hazles sentir tu pasión por lo que emprendiste a tal punto que quieran saber detalles. Hazles desear lo que haces a tal punto que respeten lo que emprendiste.

Evita hablar con personas que tengan una actitud negativa acerca de tu proyecto. Aléjate de ellas. Olvídate del agobio y estrés que te inyectaron escuchando un audio de un testimonio. Recuerda que las cosas tienen el valor que tú decidas darles. Te voy a dar un ejemplo:

¿Con quién tiene más valor un balón de baloncesto? ¿En tus manos o en las de Michael Jordan? Un balón de fútbol, ¿en los pies de quién tiene más valor? ¿En los tuyos o en los de Messi? Tus sueños, ¿en quien tienen más valor? ¿En ti o en tu pariente, amigo o vecino? Por supuesto que en ti. No permitas que nadie te robe tu sueño. Protégelo.

13. Aprende a fortalecerse a través de eventos, libros, audios, vídeos y cuidar el flujo de información que entra a tu mente

¡Cuidado con lo que escuchas! El ser humano actúa según lo que ve y lo que escucha. En la actualidad, estamos sujetos a recibir una cantidad de información tan grande que en ocasiones no sabemos qué hacer con ella o cómo emplearla a nuestro favor. Recibimos información de la televisión, radio, Internet, periódicos, revistas y hasta de anuncios publicitarios en las calles. Nos bombardean por todos lados con noticias malas, destacadas e irrelevantes que lo único que logran, la mayoría del tiempo, es preocuparnos, ya que nuestro cerebro la recibe de igual forma y eso puede afectar nuestro comportamiento.

No toda la información que recibimos genera una buena influencia. Existe información que puede perjudicarnos. Por ejemplo, si vemos una telenovela amorosa donde todos se enamoran de todos, donde los ricos se enamoran de los pobres y los pobres de los ricos. Nuestra mente recibe esa información y la procesa en la memoria, de tal forma que deja una huella en la imaginación, por lo que nos puede condicionar a vivir una de esas historias que vemos en la televisión. Esto nos puede llevar primero a perder tiempo valioso que deberíamos dedicar a la búsqueda de las metas. Después, nos podría ocasionar un conflicto que pueda poner en riesgo el alcance de nuestros objetivos y por ende, el camino al éxito.

Es fundamental controlar el flujo de información que entra a tu mente. Por lo tanto, debemos tener mucho cuidado con lo que vemos y escuchamos en los medios de comunicación para que no nos expongamos a recibir información que, aunque creamos que no nos altera, se queda en el subconsciente y que tarde o temprano nos puede perjudicar. El buen líder elige y selecciona la información que va a recibir y se asegura de que sea información que le motive y eduque para continuar en su camino, y de no escuchar información que obstaculice sus metas golpeando su ser, quehacer y sus relaciones. Imaginemos a un deportista que previo a su competencia, mira un vídeo que lo pone en desventaja. Mentalmente, está integrando una información que le puede generar desconfianza. En cambio, si mira vídeos donde triunfa, eso le generará confianza para enfrentar el nuevo reto. Uno tiene que aprender a inyectarse una buena dosis de fortalecimiento para lograr hacer las cosas con mayor impulso.

El ser humano tiene la capacidad de actuar de acuerdo a lo que imagina. Al leer, escuchar o mirar un vídeo, logra imaginar lo que está presenciando. En Equipovisión, ofrecemos herramientas que permiten aprender de las vivencias plasmadas en los audios, eventos y vídeos que nos fortalecen y enriquecen nuestra actitud. Debemos reafirmar cosas que ya teníamos en la mente, aprender de la información sobre nuevas técnicas de negocios o conocer la historia de un líder que nos brinde inspiración para seguir luchando. Es en estos libros, audios y vídeos podemos encontrar la historia de un triunfador y nos hará sentir que si esa persona pudo, ¿por qué no puedo yo lograr lo mismo? Por lo tanto, te aconsejo que cuides lo que ves y lo que escuchas.

14. Aprende a retroalimentarse a través de las acciones para mejorar

Cuando estamos en la etapa del aprendizaje, existen métodos de ejecución que son las técnicas que empleamos para realizar nuestra labor. Sin embargo, lo hemos aprendido en teoría, pero quizá no aún en la práctica. Leer o escuchar es el primer paso, pero el segundo es entrar en acción. Para ejemplificar sencillamente lo que quiero decirte, te daré el ejemplo de la prueba de manejo. Leemos un manual y un reglamento donde dice como sujetar el volante, como encender el vehículo, meter la velocidad, avanzar y frenar. Lo aprendemos muy bien de memoria para pasar el examen. Sin embargo, al momento de subirnos al auto para tomar el examen, una sensación de inquietud se apodera de nosotros. Ahora estamos frente a la realidad. Lo mismo pasa cuando ponemos en práctica lo que aprendimos.

Leemos los libros, escuchamos audios y vamos a eventos. Lo aprendemos de memoria, pero cuando entramos en acción, la sensación es muy diferente. En ese momento, asumimos la realidad de enfrentar las situaciones reales. Poco a poco, tenemos que ir descubriendo a través de las acciones cómo es que debemos emplear lo que aprendimos. No podemos llegar frente al cliente y vaciarle todo lo que dicen los textos; eso sería muy aterrador para quien nos escucha. Los libros, audios y vídeos son herramientas, pero no se usan todas a la vez, sino dependiendo de la situación. Debemos elegir la herramienta adecuada.

Otro punto importante de las acciones es que debemos actuar con tacto y aprender a acoplarnos a cada situación, ya que cada persona a la que le brindamos nuestro servicio es diferente. El propósito es que siempre se sientan cómodos con nosotros. Es como cuando en la adolescencia aprendemos a sacar a bailar a la muchacha que nos gusta, o cuando las muchachas tienen que decir que sí o que no al muchacho que las saca a bailar. En un principio, no tenemos una técnica ni mucho menos el tacto para hacerlo; además no estamos preparados para recibir un no como respuesta. Entonces, si nos dicen que no, ya nos quedamos sin bailar toda la noche y muy desanimados, ¿verdad? La teoría y los ensayos que seguramente hicimos antes de accionar no correspondieron a lo que en realidad pasó, pero ejecutar el plan, aunque no nos haya resultado como queríamos, nos hace aprender que la teoría se debe adaptar a la acción. Para la segunda fiesta, estaremos más preparados hasta que finalmente conseguimos el sí.

Por lo tanto, el buen líder aprende de las acciones que lleva a cabo día a día. Solo así podrá mejorar su técnica y podrá aprovechar todos los conocimientos adquiridos anteriormente. Si no ejecutamos entonces, ¿cuándo lograremos demostrar que lo que sabemos funciona o no? ¿Cómo lograremos hacerle mejoras a nuestra técnica para hacerla infalible? Las acciones nos darán esa retroalimentación que necesitamos.

15. Aprende que la incapacidad de uno es la fortaleza de otro

En lo que tú no eres bueno, alguien más lo es. Por lo tanto, no seas huraño ni mucho menos celoso o desconfiado de aprender de quien sepa hacer las cosas. No permitas que algún lagarto se anide en tu corazón (te recomiendo leer el libro *Lagartos reprensibles*).

La envidia es un sentimiento de tristeza y frustración por el bien ajeno. La envidia es una respuesta emocional que surge ante las virtudes, éxitos o logros de otros. También podríamos decir que la envidia es el desagrado por no tener o poseer algo que alguien más tiene.

Este sentimiento provoca un ansia ciega por destacar, por ser el centro de atención, de siempre ganar, de quedar por encima de todos, de ser «más» y el «mejor» en toda circunstancia, sin aceptar que hay alguien de quien aprender. Debido a ello, muchas personas continuamente sienten ardor y angustia por los éxitos y la felicidad de otros. Viven en un estado de competencia permanente contra todo el mundo, atormentados y sin descanso, por la envidia. No es ya solo que los demás puedan hacer cosas que ellos no pueden: Es que las desean, precisamente, ¡porque los demás tienen las habilidades que ellos no tienen! Es decir, para no sentirse menos o «quedarse atrás», este sufrimiento condiciona su personalidad, su estilo de vida y su felicidad.

Las formas de expresión de la envidia son muy numerosas: críticas, ofensas, rechazo, difamación, rivalidad y hasta alejamiento.

Este sentimiento no es ninguna novedad. El envidioso malgasta su tiempo, destrozándose él mismo.

La envidia es considerada un pecado capital porque genera otros pecados. El término «capital» no se refiere a la magnitud del pecado, sino que da origen a muchos otros pecados y rompe con el amor al prójimo que proclama Dios. Tomemos el caso de Caín y Abel. Caín y Abel llevaron un obsequio a Dios. Caín se dedicaba a la agricultura. Abel era pastor de ovejas. Cada cual llevó una ofrenda a Dios. Caín llevó una porción de su cosecha. Abel llevó una oveja. Dios mostró más agrado por el regalo de Abel. No por el hecho de que Caín hubiese llevado frutas y verduras y Abel un cordero, sino porque Abel se esmeró y se esforzó por seleccionar el mejor cordero. Mientras que Caín, en vez de haberse esforzado en seleccionar lo mejor de su cosecha, llevó cualquier cosa. Eso reveló el corazón de Caín. No hizo la ofrenda para agradar a Dios, sino solo para cumplir. Caín y Abel tuvieron la misma oportunidad de esmerarse y esforzarse por dar lo mejor de su producción. Sin embargo, fue Abel quien voluntariamente se esforzó más para no solo cumplir, sino también agradar a Dios. Eso provocó la envidia en Caín. Él exigía igualdad de agrado, sin haberse esforzado como su hermano.

> **Cuando le das un valor bajo a tus habilidades, te haces presa de la envidia.**

El objetivo del envidioso es desaprobar a la persona de su horizonte social, porque sus capacidades lo muestran como incapaz y esto lo desestabiliza mentalmente.

La envidia es una declaración de inferioridad y de baja autoestima. *Cuando le das un valor bajo a tus habilidades, te haces presa de la envidia.* Es decir, empiezas a desear lo que otros tienen u obtienen por su esfuerzo o talento. Empiezas a minimizar tus talentos o habilidades, dándoles poca atención. En lugar de ocuparte en elevar tus aptitudes y aprender de quien sabe hacer las cosas, empiezas a preocuparte y a molestarte por lo que otros saben hacer.

El aprender que lo que tú no sabes, lo sabe alguien más te concientiza de tus propias carencias y envía señales de humildad. Caín no tuvo el carácter (modo de ser) de aceptar que Abel se había esforzado más y que él no se había esforzado tanto como su hermano. Tampoco fue capaz de aceptar que iba a haber otras oportunidades de esforzarse con esmero y no solo cumplir, sino agradar a Dios. *Hay que recordar que mientras uno no haga las cosas bien, alguien más las va a hacer mejor y no ser capaz de aceptarlo puede terminar en una tragedia.* El hecho de que alguien haga las cosas mejor, no es para sentir envidia, sino ser noble y aprender.

> **Hay que recordar que mientras uno no haga las cosas bien, alguien más las va a hacer mejor y no ser capaz de aceptarlo puede terminar en una tragedia.**

El mejorar en algo solo es cuestión de tiempo. Si vemos las cosas con cuidado, concluiremos en que siempre es posible aprender de quien haga las cosas mejor que uno. Por eso es importante saber cómo aumentar, elevar o desarrollar nuestras habilidades para evitar la envidia.

¿Qué puedes hacer para aprender que la incapacidad de uno es la fortaleza de otro? Veamos algunas sugerencias: 1) Escuchar testimonios de éxito. 2) Asistir a eventos de superación personal. 3) Leer buenos libros de superación personal. Te ayudarán a pensar en nuevas alternativas de cómo hacer las cosas y cómo visualizarte de una forma positiva. 4) Mantener la mente ocupada con pensamientos positivos sobre ti mismo y los demás. 5) Siéntete orgulloso de lo que haces, especialmente cuando haces las cosas bien. Por el contrario, no permitas que otros interfieran negativamente en ti. No puedes cambiar la conducta de otros, pero sí la propia. Entonces, obra bien y serás el ejemplo a seguir para otros. 6) Siéntete orgulloso de lo que eres. Identifica y acepta tus destrezas y conocimientos. Todo el mundo posee talentos otorgados por Dios. Usemos esos talentos para desarrollarnos al máximo. Toma tiempo ocasionalmente para evaluar tus adelantos. 7) Establece metas realistas a corto plazo. Fija tu mente en las mismas y visualiza cómo puedes realizarlas. Desarrolla nuevas destrezas y conocimientos (si son necesarios) para alcanzar dichas metas. 8) Adopta la actitud del «Yo Puedo». 9) Crece espiritual y mentalmente. Aprende a tolerar y ayudar a otras personas que están en tu misma posición. Juntos podrán formar un equipo mejor. La falta de unidad provoca el procrastinar en cualquier meta. Solicita y acepta la ayuda o asesoría de otras personas. En la unión está la fuerza. 10) Lee la Biblia. Date la oportunidad de crecer espiritualmente y de aprender de nuestro Creador.

> **Ser humilde es una característica propia del individuo modesto que tiene la disposición de aprender.**

Señoras y señores, podemos aprender de otros siempre y cuando seamos de corazón humilde.

La humildad es la virtud que consiste en conocer las propias limitaciones y debilidades y actuar de acuerdo a tal conocimiento. Podría decirse que la humildad es la ausencia de la soberbia. En este modelo de negocios, mientras tengas la actitud de aprender, siempre habrá quien te enseñe. *Ser humilde es una característica propia del individuo modesto que tiene la disposición de aprender.*

Ante la necesidad de mostrar los propios logros, el individuo empieza a enjuiciar todo en su entorno y no todo el mundo está preparado para aceptar las aptitudes y los logros de otros. Si observamos con atención, tiene muchas más posibilidades de ser moldeado un estudiante mediocre pero noble, que uno talentoso pero sin humildad para aprender.

Capítulo Nueve

Las cosas suceden porque tú provocas que sucedan

Una de las primeras personas que patrocinamos en el negocio, Juan Antonio, vivía en Fresno. Al principio no había hecho mucho con la oportunidad del, pero algún tiempo después, me llamó y me dijo:

—Juan, quiero construir mi negocio.

—¿Qué tan decidido estás? —interrogué.

—Dime qué hacer y lo haré.

Debido a que éramos amigos, intuí que se encontraba en una posición para provocar cambios significativos en su vida, por lo tanto, le dije: —Mañana, súbete a tu carro y múdate a Denver.

—¿¡Qué!? ¿A Denver?

—Eres soltero y no tienes una casa. ¿Qué es lo que te detiene?

Al siguiente día, me llamó.

—Hey, ya estoy en la carretera. Me voy a Denver.

Me sorprendí un poco, pero respondí como si no pasara nada.

—Okey, llámame cuando llegues.

La noche siguiente, me llamó diciendo:

—Ya estoy en Denver, ¿qué hago?

—Encuentra una gasolinera —ordené.

—Una gasolinera? ¿Para qué?

—Solo llámame cuando encuentres una gasolinera.

Unos minutos más tarde, volvió a sonar el teléfono.

—Encontré la gasolinera, Juan. ¿Qué hago?

—Duerme allí. Vas a estar bien. Hay tráfico las 24 horas al día. Llámame en la mañana.

De inmediato, llamé a dos amigos que vivían en Denver.

—Muchachos, necesito un gran favor. Mi amigo Juan Antonio acaba de llegar allá y está empezando su negocio. ¿Pueden permitirle que se quede con ustedes por un mes?

Gracias a Dios dijeron que sí.

Inmediatamente, Juan Antonio patrocinó a su primera persona en el negocio—si se puede llamar «inmediatamente» a los ocho meses que pasaron. Durante ese tiempo, volé a Denver casi cada semana para apoyar a Juan Antonio y a un equipo personal guiado por Vlamir y Bernabé García. Sin embargo, las cosas mejoraron. Su organización creció y creció a tal grado que Juan Antonio, junto con su esposa Dora, se mudaron a Chicago, Illinois para construir nuevos equipos.

> **Estos pioneros se convirtieron en grandes árboles en un bosque. Entrelazados por las raíces para llegar hasta New York, se sostenían unos a otros.**

Este es un caso típico. Por lo general, la proyección era llegar y abarcar hasta New York. Líderes como Juan y Blanca Murillo, Sergio y Martha Aguilera, Lupe y Flor Jasso, Jorge y Mónica Martínez, Gerardo y Martha Gewert, Gerardo y Graciela Suárez, Eliceo y Maricela Ruíz empezaron a pavimentar el camino. Después de que estos líderes crecieron, otros empezaron a hacer lo mismo.

Estos pioneros se convirtieron en grandes árboles en un bosque. Entrelazados por las raíces para llegar hasta New York, se sostenían unos a otros. Los árboles crecen y con el tiempo se entrelazan y proporcionan sombra y protección a quien se les acerca. Equipovisión no hubiera crecido exponencialmente si no fuera por la valentía e iniciativa de estos líderes que no esperaron las circunstancias perfectas para conquistar nuevos horizontes.

Estos líderes han sido sabios de no convertirse en sombra y evitar el surgimiento de otros líderes. Es importante mencionar que estos hacedores han sido guía para muchos hasta convertirlos en árboles como ellos e incorporarlos como parte del mismo bosque. Los árboles grandes proporcionan refugio y protección para muchos. Por eso, esos árboles se trasplantan en otras ciudades, donde es necesaria su experiencia. Esto les permite a los árboles más jóvenes crecer fuertes. De otra manera, los vientos fuertes o la competencia pueden evitar el crecimiento.

Mi motivación en la vida es honrar a Dios y abrir camino para que otros avancen. Mientras estábamos luchando por expandir la organización hasta New York, había algo que aún no había logrado superar. Estaba en un punto donde sentía que estaba listo para encontrar una conexión con mi padre biológico. Necesitaba entender mi procedencia. Dentro de mí había un sinnúmero de preguntas. Necesitaba reconciliarme con mi ser interno, por cualquier rencor o amargura que mi corazón pudiera arrastrar, sin permitirme dar lo mejor de mí mismo. Necesitaba una reconciliación que perdurara y sanara el sufrimiento y las carencias que tuve para brindar lo mejor de mí a aquéllos que me rodeaban.

Desde que era un niño, cuando supe quién era mi padre biológico, mi deseo fue tener una relación a nivel personal con él. Deseaba, desesperadamente, que él supiera que yo existía. Lo miraba conducir una camioneta azul cerca de mi casa con la esperanza de que me saludara o que por lo menos me volteara a ver. Lamentablemente, no sucedió así. Solo lo veía conducir su camioneta y pasar cerca de mí. Muy dentro de mí yo decía: «Algún día vamos a pasar tiempo juntos».

A estas alturas de mi vida, deseaba que mi padre me mirara. Pude haberme llenado de orgullo y alejarme totalmente de él. Pero había un vacío persistente en mi alma por construir una relación con él. Quizás esto pueda sonar extraño, pero aun siendo un hombre de treinta y cinco años, sentía que yo no existía para mi padre. Quería que él supiera que aunque no me crió, él era importante para mí y quería escucharlo decir: «Tú eres mi hijo, te amo y estoy orgulloso de ti. Eres lo mejor».

En 2006, estaba programado para recibir un reconocimiento en un evento muy significativo de nuestro negocio. Tuve una idea poco común para esta ocasión. Muy nervioso, conseguí el teléfono de mi padre y le llamé.

—Habla Juan. Ha pasado mucho tiempo ¿Sabe quién soy?

—Sí, sé quién eres —respondió tranquilamente.

Le expliqué que simplemente deseaba hablar con él, pasar tiempo con él y llegar a conocerlo. Vivía en México y en Cuba en ese tiempo.

—Me gustaría que viniera a un evento conmigo en Iowa, en Los Estados Unidos —le dije.

—Si pagas por el viaje, voy —contestó.

Por lo tanto, le pagué su boleto de avión para que viajara a Des Moines, Iowa. Fui a recoger a mi papá en un carro Cadillac blanco.

—Ah, debiste haber gastado muy buen dinero para rentar este carro —comentó.

—No, es mi auto.

—¿En verdad? ¿Qué haces?

—Bueno, está a punto de enterarse —repliqué.

Fuimos al hotel y lo instalé en un bonito cuarto. También le di alguna información acerca del evento.

—Aquí está tu boleto. El evento comienza a las siete de la noche. Te veré allí.

El salón del evento estaba abarrotado, lleno de 300 personas entusiasmadas.

Cuando se nos dio el reconocimiento, me paré en el escenario y compartí mi historia con la audiencia. Ellos no sabían que me dirigía a una sola persona, a mi padre.

Después de que terminé de relatar mi historia, hice algo muy atrevido. Lo llamé a que subiera al escenario con nosotros.

—Todos estos años, he esperado tener la oportunidad de que me volteara a ver y supiera que existo. De niño, no me atrevía a pedirle a que jugara conmigo. Ahora, soy un adulto y deseo hacerle una simple pregunta: ¿Le gustaría pasar tiempo conmigo?

Él me miró a los ojos, sonrió y dijo:

—Tú eres mi hijo, por supuesto que quiero pasar tiempo contigo.

Sentí una oleada que inundó mi corazón en ese momento de aceptación de parte de mi padre. Ese vacío había sido colmado y no solo había sido toda la experiencia un sueño hecho realidad, sino que la función en Des Moines fue otro paso hacia la expansión de la organización hacia el este.

Desde Des Moines, volamos hacia Denver y papá viajó conmigo.

—¿Quién vive aquí? —preguntó cuando nos detuvimos en la entrada de una casa estilo mediterráneo.

—Bueno, no vivimos aquí todo el tiempo, pero esta es una de nuestras casas.

Papá me acompañó a todas mis juntas y presentaciones de trabajo en Colorado, antes de que regresáramos a California. Ya de regreso en el aeropuerto de Fresno, caminamos hacia nuestro transporte. Una camioneta Cadillac Escalade de color perla. Muy sorprendido mi padre dijo, —Bonita camioneta. ¿Es tuya? —dijo casi como una afirmación y conociendo la respuesta.

De allí, manejamos a nuestra casa a las afueras de Fresno. Al llegar a nuestra casa, teníamos otros dos carros Cadillac. Mi padre muy sorprendido dice: —¿Qué es esto, la familia Cadillac?

—¿Vives en esta casa? —preguntó—. Todavía no entiendo exactamente lo que estás haciendo, ¡pero parece que te está yendo bien!

Los siguientes días fueron exactamente como yo esperaba. Mi padre y yo nos quedábamos hasta muy tarde conversando cada noche, hasta las tres o cuatro de la mañana. Cada mañana, me levantaba y le tocaba la puerta para que pudiéramos continuar charlando, como un niño cuando quiere pasar tiempo con su papá.

Hubo ocasiones en que quizá lo desvelaba a tal grado que un día me dijo: «Estoy cansado hijo, ¿puedo irme a la cama?».

Sin embargo, yo aún tenía tantas preguntas acerca de su vida, pero de alguna manera y por la gracia de Dios, no sentía ningún deseo de juzgar a mi padre; solo deseaba pasar tiempo con él y construir una relación.

Tenía programadas algunas juntas para el siguiente mes e invité a mi papá a viajar conmigo. Fuimos a Reno, Nevada; luego de allí, condujimos a Boise, Idaho. De allí, a Seattle, Washington, Portland, Oregon, San Francisco y finalmente, de regreso a casa.

En cada reunión, le decía a un dueño de negocio independiente: «Este es mi papá. ¿Te puedes asegurar que lo sienten en las primeras filas?». En mi presentación, compartía principios como: «En la vida, debes aprender a establecer prioridades». «Lo más importante es invertir tu tiempo con las relaciones correctas, especialmente con tus hijos». También compartía principios de vida acerca de ser un buen padre y buen esposo.

Finalmente, creo que en Seattle, ya se había cansado de escucharme.

—Hijo, cada vez que te escucho, tengo la impresión de que me estás hablando solo a mí.

De alguna manera esto era verdad. Lo admito, pero a través de este viaje, satisfice a mi corazón hambriento. Después de pasar casi un mes juntos, papá y yo nos convertimos en buenos amigos.

De regreso a Fresno, fuimos a comer a un restaurant mexicano. En medio de la comida, me levanté de la mesa y fui a la cocina. Cuando regresé, él dijo: «¿Por qué fuiste a la cocina? El dueño se va a enojar».

—No se va a enojar —dije con una sonrisa—, yo soy el dueño.

—¿¡Cómo!? No entiendo.

De camino a casa, nos detuvimos en un rancho de naranjas y recogí algunas naranjas.

—¡Vamos a ir a la cárcel! —gritó y luego hizo una pausa y sonrió—. No me digas, este es tu huerto.

Llegamos a otro restaurante más tarde y mi padre comentó: «Ya sé hijo, también es tuyo».

Me siento muy agradecido con Dios por el hecho de que mi padre y yo disfrutamos de una bonita relación hoy en día.

Podríamos decir que el modelo de negocio es parecido al proceso de formación de un niño hasta que se convierte en abuelo. Un niño pequeño aprende habilidades como caminar y hablar. Es un proceso que lleva años; pero con el tiempo, el niño llega a ser más y más fuerte hasta que se hace más independiente. Es lo mismo en la industria de la venta directa. Cuando estás aprendiendo, dependes mucho de la gente que te patrocinó. Una vez que ya exploraste completamente la fase del «aprendizaje» del negocio, estás listo para tomar acción y ser más independiente.

Mientras estaba en la *high school*, recuerdo que buscaba los consejos de la Señora Downing con mucha frecuencia e interactuábamos casi todos los días. Cuando estaba en el colegio, generalmente, hablábamos una vez a la semana. Cuando estaba en la universidad, una vez cada 15 días. Eventualmente, una vez al mes y finalmente, conversábamos ambos como profesores hasta que decidí emprender esta oportunidad de negocio.

Muchos líderes no permiten que el aprendiz llegue a ser independiente. No se dan cuenta que la producción se da en la independencia. No se pueden mostrar resultados cuando dependen unos de otros para hacer las cosas. La acción requiere independencia para atreverse a ser imaginativo y creativo. *Tal como las águilas, va a llegar el momento en que tendrán que atreverse a volar por sí mismas y no esperar depender de quien los fortaleció con alimento para sostener sus alas mientras vuelan.*

Cuando ya se aprendieron cosas básicas, hace falta elevar la actitud a otro nivel. Es decir, después de aprender, es hora de avanzar al hacer. Todo comienza en la mente.

Sin la mentalidad adecuada, sin el estado mental que se requiere, cualquier otro pensamiento que tenga la persona limitará significativamente sus acciones y su comportamiento.

Transmisión progresiva

Capítulo DIEZ

Nivel 2 - El hacer

El Hacer es el segundo nivel del liderazgo en mi propuesta. Aquí es cuando tendremos que convertir en acciones todo lo aprendido. A lo largo de este capítulo, tocaremos los temas más importantes que debemos tener presentes para que un líder de este nivel actúe conforme a lo aprendido. Digamos que es la hora de la verdad. En el Hacer es cuando demostramos quiénes somos y de qué estamos hechos. Todo emprendedor se caracteriza por sus acciones, por la forma en cómo se ejecutan las cosas para cumplir una meta que finalmente lo lleve a conquistar su sueño.

Por lo tanto, «hacer» es llevar el saber a la ejecución. Cuando has llegado a este punto en la evolución de tu crecimiento como líder, si no aprendiste «te vas a arrepentir de no haber aprendido». Es como si en la escuela hubiéramos copiado todos los exámenes de matemáticas, en especial los de sumas, restas, divisiones y de pronto, llegamos a un nivel superior de enseñanza y nos exigen un examen de matemáticas, pero mi compañero al que le copiaba ya no está junto a mí. Entonces, ahí sabré que me equivoqué al no aprovechar cuando tuve la oportunidad de aprender. Entonces tendré que retroceder y sabré que el atajo que tomé cuando fue mi momento de aprender estuvo equivocado y que ahora recorreré el camino de nuevo. Por eso, mi recomendación es que aprendas todo lo que puedas para que estés listo para hacer las cosas y que tus resultados sean el premio a ese tiempo que dedicaste en el *aprender*. Entonces, para convertirte en un Hacedor, el siguiente paso para llegar a ser un líder, debes operar de acuerdo a un estado mental. Los individuos del nivel 2 entienden lo siguiente:

1. El Hacedor entiende que los resultados son directamente proporcionales al esfuerzo personal y que uno decide qué tan duro trabaja

Esta es una regla que generalmente se cumple cuando un emprendedor se está dedicando a poner un esfuerzo. Tarde o temprano, recibirá los frutos de ese esfuerzo. Y claro, si el esfuerzo fue poco, recibirá poco y si el esfuerzo fue mucho, recibirá mucho. No hay muchas excepciones donde alguien que se esfuerza poco, reciba mucho. Este no es un caso común. Hasta los talentosos tienen que pasar por sus etapas donde el talento no es suficiente. Debemos rendir al máximo si queremos que los resultados también se expresen en toda su magnitud. No esperemos que, si perdemos el tiempo viendo televisión, distrayéndonos en cosas o en actividades no planeadas en los momentos que debemos dedicarnos a trabajar, obtengamos grandes resultados. No, eso no pasará. Lo más seguro es que más bien los resultados no se den. Las actividades no productivas deben dejarse para los espacios dedicados expresamente para ello o para las vacaciones, y no durante los horarios de actividad.

> **«La satisfacción radica en el esfuerzo, no en el logro».**

Si los resultados no son los que esperábamos, echemos un vistazo hacia atrás y observemos nuestras acciones. Preguntémonos, por ejemplo:

¿Realmente he hecho lo que debía hacer para obtener lo que quería, o estoy esperando que todo me caiga del cielo? ¿Salí a buscar a los contactos programados para ese día, o estoy esperando a ver si ellos llegan a mí casa a preguntar si de casualidad los necesito?

Lo que pretendo mostrar es que es necesario llevar a cabo los planes de acción que nos propusimos cuando hicimos nuestro plan. Es decir, hay que «hacer» las cosas. Un buen Hacedor no espera a que los resultados se den solos; provoca que sucedan. Cada quien decide cual es el nivel de esfuerzo que quiere invertir al hacer las cosas; solo debemos ser conscientes de que los resultados estarán ligados a ese esfuerzo.

Aquí, debemos tomar en cuenta la fuerza de voluntad. Muchas veces, estaremos tentados a no esforzarnos porque tenemos flojera o porque estamos muy a gusto en casa; cualquier pretexto es bueno. Entonces es el momento de sacar esa fuerza de voluntad y recordar que tenemos una meta por cumplir, que cada día que pasa es una oportunidad para dar un paso adelante y si nos quedamos en casa, estamos echando por la borda esa oportunidad única de avanzar hacia nuestro sueño. No nos dejemos llevar por la tentación de tomarnos un día libre que no estaba programado para ello. ¿Necesitamos un descanso? Por supuesto que sí y seguro que será bien merecido, pero hasta los descansos deben ser programados y se toman en el día más conveniente para la estrategia. Sin embargo, solo si se respetan los días de trabajo se podrán respetar los días de descanso.

Las personas temen al esfuerzo porque no quieren tomar responsabilidad. Al pasar del Aprender al Hacer, muchos esperan que el *upline* les haga todo y que también se responsabilice de construirles el negocio. Cuando una persona no hace algo, no ve su valor y es posible que tampoco lo aprecie. Eso lo vemos con aquéllos supuestos hacedores que les construyes algo y cuando se lo dejas, terminan por echarlo a perder.

Mahatma Gandhi dijo: «*La satisfacción radica en el esfuerzo, no en el logro*». El esfuerzo total es una victoria completa. Las personas que huyen del esfuerzo huyen del proceso. Un hacedor no huye de ninguno de los dos. Si bien es cierto que a mayor esfuerzo, mayor rendimiento y que en este mundo tan avanzado debemos combinar la sabiduría con el esfuerzo, cuando sacamos el esfuerzo de la ecuación, nuestros talentos y habilidades serán directamente afectados. Nada se logra sin tener que hacer nada. Es decir, con el solo hecho de ser positivo y tener fe no es suficiente. El esfuerzo

> **El ser un emprendedor que trabaja por su cuenta tendrá la ventaja de que cada gramo de esfuerzo realizado significará un nivel superior de vida.**

tiene su valor en la ecuación cuando lo añadimos a nuestros talentos y habilidades. Por lo tanto, todo lo que tú ves hoy concretizado fue hecho por esfuerzo + talento + habilidades + fe.

Esforzarse es una decisión. Con qué intensidad te esfuerces es tu decisión. El tan mencionado libre albedrío aplica a decidir qué tan duro queremos trabajar. Nadie puede decidir eso por nosotros.

Cuando ya tenemos las metas establecidas y un plan de trabajo listo para aplicarlo, podemos entonces planificar nuestro esfuerzo. Este va a ser medido en resultado; es decir, cuanto mejores resultados tengamos, concluiremos que mejor ha sido el esfuerzo. Un buen líder tiene en la mente el estilo de vida que desea para él y su familia: dónde quiere vivir, cómo quiere vivir, a qué colegio quiere que asistan sus hijos, qué auto quiere conducir y dónde, cómo y cada cuándo quiere vacacionar. Del mismo modo, él sabe cuál debe ser el tamaño del esfuerzo que debe realizar y es justo aquí donde *el ser un emprendedor que trabaja por su cuenta tendrá la ventaja de que cada gramo de esfuerzo realizado significará un nivel superior de vida.* Esto es todo lo contrario al empleado que no verá el resultado directo y deberá esperar a que un superior lo reconozca para obtener el premio. Esta es una de las bondades de la organización a la que pertenecemos; aquí el esfuerzo es personal y el beneficio lo recibirás de inmediato. Es decir, tú propones qué tan duro trabajas y qué tanto ejecutas para que goces de los resultados.

2. El Hacedor no nace, se hace

El liderazgo se desarrolla durante la vida y no es algo innato. Es decir, ser un hacedor significa tener ciertas habilidades que no son innatas, pues hoy en día, ser hacedor tiene que ver con la efectividad con la cual haces las cosas. Sabemos que para obtener la habilidad de hacer algo, primero se tuvo que aprender. Por lo tanto, las habilidades con las que nacemos solo se convierten en herramientas para cultivarnos y para aprender nuevas aptitudes que eventualmente nos traerán resultados. Nacemos con la habilidad de ver y de escuchar para cultivar nuestra mente. Cuando adiestramos nuestra mente, es entonces que empezamos a esforzarnos para llevar a cabo algo. Estar dispuesto y ser capaz son dos ingredientes fundamentales para un Hacedor. Es necesario estar dispuesto a aprender las habilidades necesarias para ejecutar. No podemos decir que un boxeador nació siendo boxeador. Por supuesto que no. Primero, tuvo la disposición de aprender las técnicas del boxeo. Segundo, fue capaz de ejecutar esas técnicas. Por lo tanto, se convirtió en un Hacedor del boxeo. Por lo tanto, un Hacedor estuvo dispuesto a aprender algunas habilidades y es capaz de ejecutar lo que aprendió. Es la acción la que lo define como Hacedor. Por consiguiente, no eres Hacedor solo por aprender, sino por tu capacidad de ejecutar.

¿Te has detenido a pensar por qué me estoy dirigiendo a ti? ¿Por qué repito tanto la palabra Hacedor? Exacto, porque yo estoy seguro de que tú eres un Hacedor que está encaminado a ser un líder y por eso estás leyendo este libro. A ti te digo que no tengo la menor duda de que serás un líder y uno de los buenos, porque estás trabajando para ello y porque estás consciente de que los líderes no nacen, sino que se hacen en el camino. Todos nacemos con la capacidad de ser líderes, pero no todos desarrollamos esa habilidad.

Todos los días, debemos trabajar para poder llegar a ser buenos líderes. Debemos aprender y hacer las cosas. La ejecución de lo aprendido es el camino que nos llevará directo a lograrlo.

3. El Hacedor sabe que no debe compararse y que no siempre será exitoso con lo que emprenda. Sabe, asimismo, que mientras mejora, alguien más ya superó la etapa en la que él se encuentra.

Cuando el Hacedor se encuentra en esta etapa, tiende a compararse. Pues cree que el hecho de que alguien más obtenga resultados, lo hace mejor. Compararse con los demás es un mal hábito. Es un hábito que es dañino para la autoestima y que, practicado en exceso, *no* te hará vivir más feliz.

Mientras estás haciendo las cosas, ¿cuántas veces estás comparándote con otra persona? Presta atención a esos momentos en los que te estás comparando o midiendo tus cualidades o circunstancias con las de otra persona.

La comparación es un juego en el que casi siempre pierdes. Me explico: *Por más guapo, delgado, listo o muy apto que seas, siempre encontrarás a alguien que te supere en algún aspecto.* Aunque te centres en solo uno de esos aspectos, también es fácil que encuentres a otra persona que gane en la comparación.

> **Por más guapo, delgado, listo o muy apto que seas, siempre encontrarás a alguien que te supere en algún aspecto.**

Suponiendo que seas tú quien gane en la comparación, tu ego se elevará temporalmente, pero te verás presionado a mantener tu «estatus». Y lo más frustrante es que tarde o temprano caerás del pedestal.

Sabiendo esto, a ti te toca explorar cómo te sientes tú cada vez que te comparas con alguien que sabe hacer lo que tú estás por iniciar. ¿Te sientes bien o mal? Porque si te sientes bien, no tienes nada que cambiar. Si te sientes mal, entonces hay que cambiar de actitud.

Cuando te comparas con otra persona, a menudo estás midiendo sus puntos fuertes con tus puntos débiles. Eso te puede provocar celos y no es justo para ninguno de los dos.

Puede que sea alguien más exitoso que tú y solo por eso se gane tu antipatía, cuando en realidad, puede tratarse de un buen Hacedor, alguien que se ha esforzado para llegar a donde está y que, por más alto que haya subido, también tiene sus puntos débiles.

Él tiene su historia y tú, la tuya. Él tiene sus cualidades y tú, las tuyas.

Por criticar las rosas del jardín del vecino, estás perdiéndote de cómo mejorar tu propio jardín. ¿Por qué no te acercas a él y le preguntas: «Vecino, compártame qué debo hacer para que mi jardín sea como el tuyo».

Mira lo bueno de tu vecino. No pienses que lo bueno es escaso. Si otra persona tiene algo estupendo, ¿qué te hace pensar que tú no puedes tener lo mismo?

Que una persona sea guapa, no te impide a ti ser guapa/o.

Que tenga éxito, no te quita el tuyo.

Que tenga resultados, no te impide tener los tuyos propios.

Lo bueno abunda, si lo buscas. No necesitas quitarle «lo bueno» a esa persona, porque tú también tienes todo eso en abundancia.

Si quieres tener buenos resultados, elige aprender de quien los tenga. Elige Hacedores generosos, que gusten de compartir, de colaborar, de construir…. Ya verás que pronto compartirás su buena actitud.

Mira lo bueno que tienen los demás con admiración (sin sentirte inferior). Disfruta de lo que te muestran, de lo mucho que pueden enseñarte. *A la hora de comparar, hazlo sobre tu propio progreso.* Mira dónde estabas ayer y cómo has avanzado, gracias a que te lo propusiste.

No tienes necesidad de compararte con nadie más. **Tú eres tú**: con tus cualidades, con tus gustos y deseos, con tu historia y con tu futuro. Un conjunto único e irrepetible.

Un buen líder sabe que tendrá triunfos, pero también debe saber que tendrá caídas en el camino. Por eso, debe estar programado y preparado para enfrentar esas caídas. En muchas ocasiones, nos enfrentamos a situaciones donde tenemos programado realizar una acción que nos dará un resultado positivo; lo que estamos esperando es que todo salga bien y que regresemos a casa después de un día exitoso de sumar puntos para lograr nuestra meta, ¿pero qué pasa si las cosas no salen bien? Pues nada, no debe pasar nada. Tenemos que estar conscientes de que pueden existir momentos, días o semanas malas. Sin embargo, eso no debería disminuir la confianza y mucho menos la autoestima, porque desde hoy sabemos que no siempre nos saldrán las cosas bien y que estamos listos para disfrutar lo que nos sale bien, y preparados también para esos obstáculos que se nos presentarán en el camino. «Solo cuando se está preparado para el fracaso se está preparado para el triunfo».

No debemos desesperarnos. Al contrario, es justo el momento en el que necesitamos más paciencia; necesitamos meditar, repasar lo aprendido para ver si estamos omitiendo algo. Es momento de ver a los demás y saber cómo les está yendo, pero eso sí, no nos debemos comparar con otros, pues no conocemos cuál es su trayectoria. Las historias, aunque parecidas, siempre son diferentes. *A veces, nos comparamos con alguien y creemos que nosotros somos mejores. Sin embargo, al momento de tomar acción, nuestros resultados no son los esperados y los de esa persona sí.* No desesperemos, no tiremos la toalla y no envidiemos. Es mejor acercarnos a esa persona y ver qué es lo que está haciendo, preguntarle cómo lo hace y tal vez así encontraremos la respuesta y podremos darnos cuenta si algo de lo que hacemos no es tan bueno como pensamos. Esto nos servirá para reflexionar y corregir el rumbo.

Que no se nos vaya el tiempo en rumiar qué fue lo que salió mal, pues tenemos que tener presente que mientras nosotros estamos corrigiendo los males, siempre hay otros que ya lo hicieron y lo están haciendo mejor. La naturaleza del ser humano lo incita a ser envidioso y mirar a quien hace las cosas mejor que nosotros con malos ojos, a enojarnos porque presentó una idea mejor o un trabajo mejor y nos alejamos de esa persona; tal vez hasta la ofendamos o le faltemos al respeto y provoquemos que también se aleje de nosotros. Esto es un error; lo que debemos hacer es acercarnos a él y preguntar, aprender y sumarlo al equipo. Solo de esta manera aprenderemos a hacer las cosas mejor y superarnos.

> **A veces, nos comparamos con alguien y creemos que nosotros somos mejores. Sin embargo, al momento de tomar acción, nuestros resultados no son los esperados y los de esa persona sí.**

Tenemos que estar abiertos y dispuestos a entender que siempre existirá alguien mejor. Esa será nuestra mejor arma para superarnos, pues estar abiertos a esto nos abrirá también a aprender de ellos para mejorar nosotros. Si convertimos a ese alguien que es mejor que nosotros en nuestro guía o maestro, en vez de hacerlo nuestro rival, siempre estaremos en mejora continua y entre mejor sea él, mejores seremos nosotros. De esta forma, nosotros a la vez seremos mejores que otros y entonces estaremos sujetos a la crítica, la cual debemos asumir de forma positiva.

Un líder debe estar siempre consciente de que será ampliamente criticado, pues está en el ojo del huracán. Al tomar la postura de un líder, se ha convertido también en una figura expuesta a muchas más personas; sus acciones no pasarán inadvertidas y trascenderán, queramos o no. Por tal motivo, siempre debemos comportarnos como los verdaderos líderes que somos.

4. El Hacedor tiene presente que nada que valga la pena vendrá fácil

En la vida nada es fácil, pero tampoco difícil. Todo tiene un equilibrio. Solo las cosas que quieras lograr dependen del tiempo que le quieras dedicar. Aún recuerdo cuando tome la decisión de ser maestro como la Señora Downing. No fue fácil. Me costó esfuerzo, sacrificio, dinero y hasta lágrimas, pero lo más importante fue que supe sobrellevar las cosas. Aún recuerdo esa clase de filosofía donde repetía como perico cada palabra que el profesor mencionaba. Cuando tenía que entregar un proyecto, lloraba, puesto que no dominaba el inglés al cien por ciento y no tenía la facultad para escribir con fluidez. Con frecuencia, argumentaba en mi soledad y me entristecía por que no nací aquí. Sufría también el dolor de no tener un cuarto con escritorio donde pudiera hacer mi tarea y concentrarme. Tenía que usar la taza del baño como silla, pues no podía hacer mi tarea en la sala o en la cocina, pues se molestaban mis compañeros de cuarto. Nunca imaginé darme por vencido. Ni en los momentos donde ni siquiera tuve dinero para comer. Mi sueño era más grande que el sacrificio. Al final de la noche y al amanecer, mis esfuerzos se renovaban. Después de que logré certificarme como maestro, me di cuenta de que nada es fácil en la vida, pero tampoco tan difícil como para no lograrlo.

Era fácil registrarse en la clase de estadística y cálculo; lo difícil era sentarse en la clase y terminar el curso. Fácil era escuchar las reglas del profesor; difícil era seguirlas. Fácil era soñar todas las noches con ser maestro; difícil era mantenerse enfocado por ese sueño. Fácil era rajarse; difícil era asumir el fracaso. Fácil era anunciar lo que estudiaba; difícil era mantenerse estudiando. Fácil es que te critiquen los demás; difícil es superar la crítica. Fácil es cometer errores; difícil es aprender de ellos.

Por eso, vive cada día esforzándote por aceptar que hay un precio que pagar y que al final del camino, valdrá la pena.

Cuando las cosas se ponen difíciles es cuando empezamos a dudar. *Es mejor ocuparse en algo que caer en la preocupación estéril.* Un líder en el nivel de Hacedor sabe muy bien que todo lo bueno tiene un precio. Ese precio es el del esfuerzo. No porque otros desistan; tú también vas a desistir. Es muy importante que reconozcamos que la igualdad no existe, y esto es porque cada quien tiene un nivel de deseo diferente y este nivel de deseo es el que nos conduce a trabajar. Cuando cumplimos nuestros deseos a base de trabajo, aprendemos a valorar todo lo que tenemos y entonces lo cuidamos y procuramos.

> **Es mejor ocuparse en algo antes de caer en la preocupación estéril.**

Las cosas que queremos en la vida requieren un esfuerzo y no llegarán por el atajo corto, sino por el camino largo y los líderes lo saben muy bien; por eso se levantan todos los días con la intención de provocar que las cosas sucedan.

Conseguir el estilo de vida que soñamos no es imposible. Me queda claro que ser activos es parte de nuestro ser. Solo es cuestión de estar en el vehículo correcto. ¿Es fácil? De ninguna manera, ni tampoco pretendo hacértelo pensar. Al contrario; quiero transmitirte que costará trabajo y que requerirá, en ocasiones, un esfuerzo extra. Solo así lo veremos convertido en realidad. Es importante aprender a disfrutar el esfuerzo. *Si siembro una semilla para que dé un fruto, tengo la opción de dejar que la naturaleza haga el trabajo y sentarme a reposar mientras eso pasa y recojo el fruto que la naturaleza me regaló. Sin embargo, tengo otra opción: Qué tal si mejor la cuido y la riego sin esperar que el clima lo haga por mí. Si le pongo su abono y la cuido de las plagas, entonces el fruto será mejor y vendrá más rápido, sin contar que me sentiré orgulloso de la cosecha, pues mi esfuerzo fue parte del buen fruto.*

Si hacemos una prioridad de sembrar y cuidar la siembra, nuestro esfuerzo dará su fruto. Solo es cuestión de tiempo. Señoras y señores:

Si invierten su tiempo, obtendrán algo a cambio. Si malgastan su tiempo, ya saben también el resultado. El desánimo los alcanzará y eventualmente perderán la esperanza.

5. El Hacedor sabe que siempre habrá competencia

La competencia no duerme. En una economía donde hay libertad para vender y libertad para comprar, siempre habrá quien pretenda acceder al mismo mercado. Las empresas luchan por un determinado sector de la población para vender o distribuir sus productos o servicios. Desde mis comienzos en la industria de la venta directa, he visto muchas empresas surgir que después desaparecieron. He observado como algunos socios se dejan deslumbrar por lo que tal y cual empresa ofrece y de repente, desaparece la empresa y desaparecen los socios. Algunos productos que han surgido y desaparecido son los siguientes: Cuadros de réplicas de pinturas muy famosas, café, bebidas que curan una u otra cosa, joyas, ollas, luz, teléfono, etc. No vale la pena mencionar todas las empresas que han surgido y que están por surgir. Los importante es lo siguiente: No es el producto

> **Es fundamental ser competente en auspiciar, fortalecer y entrenar a tus socios.**

o la empresa la que determina tus logros, sino qué tan competente es la empresa o el producto para respaldarte, y que el día de mañana, no desaparezca la empresa. La competitividad es muy diferente a competir. Cualquiera puede ser tu adversario, pero que sea competente es otra cosa. Lamentablemente, la comunidad que estás creando, en algunos casos, no sabe distinguir entre competir y competitividad y se deja deslumbrar por lo que ve en la superficie.

En la industria de la venta directa, no se trata de vincularse a una empresa para ver quién llega primero. Se trata de que la empresa tenga buen fundamento, capacidad y destreza para sostener con ética y balance el mercado que se vincule a ella. Cuando se trata de productos o servicios no es cuestión solo de calidad, sino de dos cosas más: capacidad de distribución, y quién te lo va a comprar y por qué. Toda empresa sueña con clientes que les compre de forma repetitiva, pero no todas las empresas cuentan con la competitividad para lograr eso.

Tener la facultad adecuada para cumplir con las exigencias del mercado es lo que marca la diferencia. En Equipovisión, esto nos queda claro. Es fundamental desarrollar las destrezas necesarias para ejercer eficientemente nuestra labor. Yo diría que la dirección que hemos tomado nos da una ventaja de competitividad en relación a otros grupos. Por lo tanto, líderes, les recomiendo apegarse a la ingeniería de Equipovisión y a su currículo. *Es fundamental ser competente en auspiciar, fortalecer y entrenar a tus socios.*

> ## No busques trofeos ni premios, sino busca eficiencia en lo que haces.

Recuerda que cualquiera puede competir contigo, pero no todo el mundo es competente. La competencia no duerme, no descansa. Por lo tanto, mantente apto y competente para que tus hechos sean los que resalten. *No busques trofeos ni premios, sino busca eficiencia en lo que haces.* Deja que otros se engañen por los falsos reconocimientos y que pierdan su tiempo llenando su ego con falsos pronunciamientos por competir. Me queda claro que cuando eres competente sabes hacer las cosas bien y que también cómo aplicar lo que sabes. Cuando eres competente, tienes resultados y los resultados te hacen llegar a la cumbre. Mejor dicho, no se trata de llegar primero, sino de saber llegar con responsabilidad y ética.

Siempre habrá quien quiera competir contigo. No caigas en esa trampa. No te dejes distraer. El mejor plan para defenderte ante la competencia es ser competente. *Solo es cuestión de conocimientos, habilidades y destrezas para transformar tu futuro y no se trata de quién llega primero.*

6. El Hacedor sabe que siempre habrá críticas y no espera un trato justo

Recuerdo cuando llegué a este país. Mi madre tenía dos hijos más. Al instalarme en su casa, ella me dijo:

—Mira, hijo, esta será tu casa de hoy en adelante. Aquí vivirás, pero tienes que entender que lo que le compré a tus hermanos, no necesariamente te lo voy a comprar a ti. Ellos tienen a su papá y tú no tienes el tuyo. Tengo que pedirte que nunca me pidas lo mismo que le doy a ellos, pues ellos tienen quien les compre y tú no. Irás a la escuela como ellos, pero tendrás que trabajar los sábados. Trabajarás en lo que yo trabajo. Yo te enseñaré a hacerlo y pagarás con eso una renta semanal de 55 dólares que te dará derecho a techo y comida.

Mi madre me enseñó, entonces, los trabajos del campo que ella realizaba, como podar árboles, cosechar uvas y otros frutos. Y así fue que comencé a trabajar para cumplir con mi aportación semanal. Con ello, me gané el derecho a dormir en el garaje de la casa; la recámara que estaba disponible fue para mi hermana.

También fui a la escuela a aprender todo lo que pudiera, aunque en realidad nunca fui un estudiante aplicado; era más bien persistente. Justo a los 16 años, un compañero del trabajo en el campo me obligó a pisar el suelo firme, con sus burlas y darme cuenta de mi realidad. Un buen día me dijo:

—Juan, tú sí que estás amolado. No tienes nada, tu padre no te ha reconocido. Tu mamá te manda a dormir al garaje. No tienes quien te herede algo, no eres nadie. Trabajamos en el mismo sitio, pero yo tengo mi casa, tengo a mi madre y sé quién es mi padre.

Tenía dos opciones con ese compañero: Una era contestarle y ver cómo terminaba todo y la otra era aguantarme la humillación para no provocar mayor problema. Después de todo, solo consiguió moverme por dentro y generar la inquietud de ver si yo podría ser alguien en la vida. El siguiente lunes, acudí con mi consejera en la escuela, la inolvidable Señora Downing y le pregunté…

—Señora Downing, ¿cree usted que yo pueda llegar a ser alguien en la vida?

—¿Qué quieres ser? —respondió.

—Pues maestro como usted. —Hasta ese momento, ella era el modelo más cercano que conocía de una persona exitosa, pues en mi familia nadie había estudiado o logrado alguna profesión.

—*Yes, you can do it!* —respondió con voz firme y observándome a los ojos, como queriendo4 entrar en mi mente para convencerme.

—¿Y qué tengo que hacer?

—Dedicar más tiempo a la escuela, aprender inglés y seguramente tendré que cambiarte algunas clases, pero dime, ¿estás seguro de qué es lo que quieres?

—Sí, sí maestra. Estoy muy seguro.

Con llanto en los ojos, salí del salón. No le dije porque lloraba, pero yo sí lo sabía. Eran lágrimas de felicidad anticipada porque alguien estaba creyendo en mí. Ese día, puse un cimiento firme a mi futuro.

En efecto, la maestra Downing cambió mis materias. Ahora debía llevar otras clases que en realidad me habían de formar. La maestra Downing no me menospreció y, por el contrario, confió en mi capacidad. Tal fue el cambio que tuve comprar no uno, sino cuatro diccionarios: Uno de español-inglés, otro de solo español, uno más de inglés y un último de sinónimos y antónimos.

Aceptar la crítica, sin importar de quién o cómo viniera, fue para mí una clave muy importante y decisiva en mi camino. Ahora caminaba hacia la escuela con dos mochilas. Una con la figura del gato Garfield que contenía los libros de texto y otra con la del Pato Donald donde llevaba los cuatro diccionarios. Pesaban mucho, pero la carga se sentía menos cuando tenía que entender alguna de las palabras. Llegaba a casa y prefería estudiar que jugar. Luché por algunos años hasta terminar *High School*. Y cuando pensé que había logrado todo, se presentó mi siguiente reto. Un día antes de la graduación, el jueves por la tarde, mi madre habló conmigo y me dijo: «Hijo, te tienes que ir de la casa. Ya terminaste la escuela y en este país así es. El sábado tienes que irte». Me daban un día para mudarme a algún sitio; sabía que ella quería evitar un problema con mi padrastro, quien creo era el problema, pero tenía que ser así. Fui a la graduación. La maestra Downing, orgullosa de mí, fue quien se encargó de darme una fiesta de graduación. Sabía perfectamente lo que me había costado.

Al término de la fiesta, la maestra me preguntó si ya estaba inscrito en el colegio (en Estados Unidos, es un paso antes de la universidad; sería como el inicio de la universidad en México). Le dije que no, que no sabía qué pasos seguir. Me explicó todos los trámites y terminó diciéndome: «El lunes nos vamos a hacer todo, yo te voy a llevar». La miré y le dije con mucha vergüenza: «Gracias, pero ya no podré estudiar. Mi madre me ha pedido que me vaya de la casa y ahora tendré que trabajar para sostener una casa yo solo. No me hizo caso, solo me dijo: «Trabajarás en el verano y cuando empiecen las clases, irás al colegio». El lunes a primera hora, estaba afuera del departamento a donde me había mudado al lado de otros 15 jóvenes. Sí, como lo lees, 15 jóvenes en un departamento. Me llevó a inscribirme. Ella eligió las materias y me encaminó a encontrar los salones y me dijo que estaría ahí dos años hasta que me pudiera pasar a la universidad.

Los dos años pasaron mucho más rápido de lo que esperaba y por fin me transferí a la universidad. Dos años más tarde, logré mi licenciatura. Nuevamente, ella fue quien estuvo en mi graduación. Al término de la fiesta, le dije que ya no quería ser maestro de *high school*; quería ser maestro, pero de colegio. Entonces, respondió: «Para eso necesitas un posgrado, una maestría al menos». Me inscribí en el programa de la maestría y para no hacerte el cuento largo, terminé la maestría y le dije que ahora ya no quería dar clases en el colegio; era mejor en la universidad. Le dio gusto y me comentó que para eso necesitaría un doctorado. Me inscribí y me aceptaron en la Universidad de Utah en Salt Lake City.

> **El Hacedor sabe que la crítica lo puede insultar, lastimar y hasta ofender abierta o metódicamente, causándole una sensación desagradable.**

Si hubiera dos árboles de guayabas, te aseguro que el árbol que apedrearían más sería al que tuviese más guayabas y las más maduras. Así es la crítica. La recibe quien más tiene o quien más hace.

Las personas tienden a hablar despectivamente de quien está luchando por algo o de quien ha logrado algo. La intención es desanimar y hasta dañar a través de su criterio. Acusan sin tener una base sólida, sin importar cuánto afectan la dignidad o reputación de alguien. Elaboran un juicio u opinión basado en su corto conocimiento. Son capaces de someter a una persona a su propio juicio, sin tomar responsabilidad de lo que dicen, provocando angustia, dolor e impotencia. *El hacedor sabe que la crítica lo puede insultar, lastimar y hasta ofender abierta o metódicamente, causándole una sensación desagradable.* La crítica siempre está al acecho con comentarios que desaprueban y desacreditan. Enseñoreándose en expresar lo que sienten. Expresan: «Yo siempre digo lo que siento... yo no tengo pelos en la lengua». Quien critica recibe información equivocada a través de comentarios o chismes, sin apoyarse en fuentes sólidas o pruebas para respaldar sus comentarios.

Así como la estampilla demuestra la procedencia de la carta, así también la crítica revela su verdadera identidad.

¿Por qué la gente critica? Siempre me ha impresionado lo que dice nuestro Dios: «De la abundancia del corazón, habla la boca». Es decir, son los sentimientos estancados en el corazón lo que hace emitir expresiones. Si en nuestro corazón se anidan sentimientos alegres, será alegría lo que transmitamos. Si en nuestro corazón se anidan sentimientos de amargura, esto será lo que comunicaremos a los demás. Si nuestro corazón está lleno de envidias y de odios, tarde o temprano, nuestras acciones o expresiones reflejaran críticas destructivas e indiferencia hacia otras personas. Por lo tanto, podríamos decir que lo que otras personas digan o sientan de ti no está en tu control. Lo que si puedes controlar es cómo reaccionas ante la crítica.

Un Hacedor debe aceptar que las críticas son como las moscas. Cuando estás comiendo, ellas aparecen. El rechazo de la misma y el tratar de agradar a todos para evitar las críticas o a los críticos puede hacer que una persona pierda totalmente su propósito. He visto personas que se detienen en su crecimiento porque no pudieron manejar bien la crítica, permitiendo que la misma dañara su corazón. El Hacedor acepta la crítica como parte de su crecimiento evolutivo.

La crítica es parte de nuestra vida diaria, pero nadie puede hacernos sentir mal si nosotros no lo permitimos. El gran escritor, historiador, filósofo y economista alemán J.W. von Goethe decía: «Es gran virtud del hombre sereno oír todo lo que censuran contra él, para corregir lo que sea verdad y no alterarse por lo que sea mentira».

> **Así como la estampilla demuestra la procedencia de la carta, así también la crítica revela su verdadera identidad.**

¿Qué haces cuando te critica la gente?

¿Te enojas?

¿Los criticas o atacas?

¿Los ignoras?

¿Aceptas la crítica?

Someter a juicio o evaluar a alguien por lo que hace o cómo lo hace es parte del pensamiento de todo ser humano. En nuestra cultura, estamos acostumbrados a prestarle más atención a lo negativo que a lo positivo. Vemos más fácilmente los defectos y los problemas que las cualidades. Eso no es justo.

Por lo tanto, el Hacedor no espera un trato justo. Toda la vida hemos oído hablar de la justicia, de ser justos, de que sean justos con nosotros, ¿pero qué es la justicia? En realidad, es un término fácil de comprender pero imposible de realizar. La justicia no existe. ¿Por qué? Porque lo que es justo para unos, nunca lo será para la parte contraria; de tal forma que siempre habrá alguien que verá las cosas como injusticia. Por ejemplo, si un delincuente es atrapado después de robar una tienda, el tendero pedirá justicia y querrá que se quede muchos años en prisión. Si eso pasa, él sentirá que fue justo, pero la familia del delincuente y él mismo delincuente apelarán para reducir la condena, manifestando que les parece excesiva; es decir, injusta. Entonces, la justicia es algunas veces un término ambiguo, aunque nuestras leyes indiquen que se debe procurar.

De los acuerdos o leyes que se establecen para que haya justicia, algunos nos convendrán cien por ciento y otros no tanto. Es importante tener la madurez de ver que los convenios ayuden al bien común y aceptarlos por más injustos que nos parezcan. Pues lo que beneficie a todos no necesariamente va a satisfacer lo que quiero. Entonces, en los negocios existen convenios donde es fundamental respetar los acuerdos. Es muy parecido a un partido de fútbol. Se supone que hay reglas que seguir y un árbitro

> **Un Hacedor debe aceptar que las críticas son como las moscas. Cuando estás comiendo, ellas aparecen.**

que las aplica. Comúnmente, el árbitro se equivoca y no es justo. El partido no se va a detener por una equivocación del árbitro. Te puedes molestar, enojar, quitar la camisa; pero no hay nada que se pueda hacer. *Lo único que puedes hacer como jugador es jugar con mayor vigor para compensar el mal arbitraje.* Eso sí está en tu poder. Es decir, por una crítica o algo injusto que te suceda, el mundo no se va a detener. No está en tu poder que alguien te trate mal, te rechace o te critique. Por supuesto que no. Si vamos hacia adelante esperando la justicia, nos sentiremos frustrados de ver que no llega y eso, por consecuencia, nos detendrá. En cambio, si continuamos respetando los convenios, tarde o temprano los esfuerzos darán su fruto. *El Hacedor trabaja más fuerte para compensar el daño causado por la crítica y las injusticias.*

7. El Hacedor mantiene una actitud positiva ante cualquier situación

Durante nuestra vida, vamos haciendo planes y organizando nuestros días para que las cosas sucedan tal y como lo pensamos. Sin embargo, existen circunstancias que pueden colocarnos en una situación diferente a la planeada y debemos tener la capacidad de actuar en consecuencia. Nuestra forma de reaccionar y de pensar siempre estará afectada por emociones y sentimientos. Esta reacción será la que nos llevará a tomar una postura y dictaminar el plan de acción para solucionar las circunstancias y regresar al camino planeado. De tal forma que no podemos enfrentar la adversidad con un pensamiento negativo, pues eso hará que nuestras emociones se adueñen de nosotros y enfrentemos la circunstancia adversa de forma contraria y con resultados no deseables.

> **Lo único que puedes hacer como jugador es jugar con mayor vigor para compensar el mal arbitraje.**

Primero, estamos obligados a reconocer si esa circunstancia realmente afectará los planes o si es solo una sombra. Es decir, si es real o la estoy imaginando como excusa para evadir una responsabilidad o un riesgo. Si ese es el caso, nos daremos cuenta que entonces no existe tal adversidad, porque si la hemos creado de forma mental o por temor, la podemos destruir en un segundo. Si es real, tampoco hay que preocuparnos; más bien ocupémonos de enfrentarla de la mejor manera. Respiremos y busquemos en nosotros mismos las herramientas que tenemos para combatirla. Tenemos que ir directamente a nuestros principios y moral; esos principios dictarán nuestra actitud, ya que está basada en los valores que nos representan.

Si las circunstancias en nuestro camino parecen orquestarse en nuestra contra, debemos asumir una postura de combate y no de víctimas. Si no tenemos cuidado con esto, nos convertiremos en nuestro propio enemigo. No podemos permitirnos culpar a las circunstancias cuando nosotros las provocamos. Aunque la gente no sepa que estamos siendo víctimas de nuestra propia adversidad, debemos reconocerlo. Por lo tanto, nuestros principios y la moral serán quienes nos guíen para tomar mejores decisiones y mantener una actitud positiva.

No le hagas creer a la gente que eres víctima de las circunstancias; no vaya a ser que te lo creas y luego eso se convierta en una realidad. El subconsciente no distingue la calidad del pensamiento, sobre todo expresado en palabras. Simplemente hará realidad en tu vida lo que te atrevas a expresar. Por lo tanto, trata de asegurar que de tu boca siempre salgan palabras que provengan de pensamientos positivos. Dios se encargará de convertirlos en realidad para ti.

8. El Hacedor no espera las circunstancias perfectas para actuar y sabe que una actitud optimista controla esas circunstancias, ya sean favorables o no

Un día, el caballo viejo de un anciano labrador que cultivaba los campos se escapó a las montañas. Los vecinos del anciano labrador se acercaban para condolerse con él y lamentar su mala suerte. El anciano labrador les respondía: «Mala suerte, buena suerte... ¿quién sabe?».

Una semana después, el caballo volvió de las montañas, trayendo consigo una manada de caballos. Entonces los vecinos felicitaron al labrador por su buena suerte. Él les respondió: «Buena suerte, mala suerte... ¿quién sabe?».

Cuando el hijo del labrador intentó domar a uno de aquellos caballos salvajes, cayó y se rompió una pierna. Todo el mundo consideró esto como una desgracia. No así el labrador, que se limitó a decir: «Mala suerte, buena suerte... ¿quién sabe?».

> **El Hacedor trabaja más fuerte para compensar el daño causado por la crítica y las injusticias.**

Una semana más tarde, el ejército entró al poblado y reclutó a todos los jóvenes que tenían una buena condición física. Cuando vieron al hijo del labrador con la pierna rota, lo dejaron tranquilo.

¿Había sido buena suerte? ¿Mala suerte? Quién sabe.

Todo lo que a primera vista parece un contratiempo puede ser un disfraz del bien. Y lo que parece bueno a primera vista puede ser realmente dañino. Así pues, sería una postura sabia dejar que el tiempo decida lo que es bueno y malo para nuestra vida, agradeciendo lo bueno que nos traiga cada día. Los resultados del Hacedor se definen en el proceso del tiempo, pues a través de la perseverancia, podremos ver los frutos de nuestro trabajo.

¿Sabías que muchos individuos que comienzan este negocio desisten por circunstancias que no pudieron controlar? Hay otros que nunca arrancaron porque esperaban las circunstancias perfectas para actuar. Señoras y señores, es muy importante entender la palabra circunstancia. Las circunstancias son sucesos inesperados que provocan complicaciones. Cabe mencionar que la noción de las circunstancias está relacionada con lo circunstancial. Es decir, con aquello que no es permanente, sino temporal. Las cosas que ocurren de forma repentina siempre tienen un final. No te desesperes, nada es permanente. Mantén en mente que las circunstancias son temporales.

Los seres humanos vivimos por etapas. Es decir, hay quienes actualmente están atravesando por una primavera, otros por un verano u otoño y otros que están pasando por un invierno. Cuando tengas retos, piensa que cada estación del año trae diferentes eventos. Es decir, siempre habrá lluvia, nubarrones, truenos, relámpagos, posibles granizadas y hasta una lluvia de meteoritos. Las tempestades son temporales y son conocidas porque suceden cuando menos lo esperas. Pero, aunque son temporales, pueden tener un efecto permanente si permites que obstruyan tus metas. Un socio que está en medio de conflictos financieros y sin embargo es capaz de apoyar a su grupo es un ejemplo de un Hacedor que no espera las circunstancias perfectas para actuar. Actúa en medio de la adversidad.

Muchas personas desisten por no tener una niñera, por problemas familiares, problemas conyugales, problemas financieros, etc. Quieren tener las circunstancias perfectas para continuar en su lucha. Mi recomendación es no dejar de actuar. Los retos son temporales. Debemos entender que no se trata de qué tan grande sea la circunstancia, sino de la actitud que tomemos ante ella.

En nuestra vida cotidiana, es inevitable controlar los retos que se presenten. Lo que si podemos controlar es nuestro estado emocional y nuestra forma de reaccionar ante ellos. Debemos aprender a sobrellevar las circunstancias que se presenten mientras luchamos por nuestros sueños. Los hechos circunstanciales pueden dar lugar a percepciones equivocadas, dado que no siempre es posible anticiparlos. Una actitud incorrecta suele hacernos sacar conclusiones apresuradas y de pánico infundado, lo que nos puede traer malas consecuencias al tomar malas decisiones. Alarmarse ante una escena que no esperábamos, asumiendo hechos que son quizás inexistentes, provoca preocupaciones que nos pueden paralizar. Recuerda que las circunstancias no son tu realidad. Son simplemente obstáculos a vencer con una actitud optimista. La melancolía vence a muchas personas. Le prestan mucha atención a la razón de los hechos, sin darse cuenta que la prioridad no es preocuparse, sino ocuparse en buscar alternativas para solucionar cualquier tropiezo.

Hay hacedores en el negocio que hacen una lista, contactan prospectos, dan presentaciones y hacen seguimientos; pero en cuanto cierran el círculo, los resultados no son los esperados. Estas personas pueden decir: «Esto no funciona, no seguiré, la gente no quiere». Esta actitud reafirmará el desaliento de este empresario. Sin embargo, si tú como Hacedor comienzas a ver lo positivo y lo bueno de la experiencia obtenida, al enfrentar los hechos con una actitud positiva, lo que pareció negativo comienza a posicionarte por encima de lo que aparenta ser estéril.

La actitud es simplemente la forma o manera con la que sentimos y pensamos. Es decir, una combinación entre sentimientos y razón, y es la clave para enfrentar las circunstancias de la vida que son ajenas a nosotros y que están fuera de nuestro control, sin que las podamos evitar. Por ejemplo, si salgo por la mañana justo a tiempo para atender una cita importante, al llegar a mi auto noto que alguien le ha pinchado las llantas. Tengo dos opciones: La primera es enojarme y dedicar mi tiempo a buscar a quién lo hizo y culpar a todo mundo, o detenerme a cambiarlas y perder mi cita. Otra opción es encargar a alguien que las cambie, mientras yo busco otro medio para llegar a mi cita.

En la primera y segunda opciones, no gané absolutamente nada, sino que aparte de la terrible frustración, también perdí mi cita. Por lo tanto, he quedado mal con el prospecto o socio. Perdí la credibilidad y quizá nunca la recupere y ni siquiera logre descubrir quién ha sido el culpable. En cambio, con la última opción, gané al no perder la cita, no quedé mal y mi reputación no se afectó.

Cuando las circunstancias dominan la actitud, perdemos impulso y no podemos funcionar correctamente. Nos aparta del camino que estamos construyendo. Sin embargo, cuando tu actitud supera a las circunstancias, entonces no harás alteraciones ni llenarás de escollos ese camino que estás construyendo. Es fundamental saber establecer prioridades entre lo urgente y lo importante, para así controlar las circunstancias del camino. Esto requiere una actitud racional, más que una cargada de emociones. No quiero decir con esto que no seamos sensibles hacia los acontecimientos. Solo afirmo que si enfrentamos las circunstancias con una buena actitud, encontraremos soluciones a cualquier cosa que estemos pasando.

9. El Hacedor sabe que el carácter lo llevará más lejos que su talento

Así como un proyector emite una imagen, de la misma forma, tú vas a proyectar tu carácter al ejecutar. Nuestros hechos y nuestra forma de relacionarnos son un reflejo de lo que somos por dentro.

Tener la habilidad o el talento de llevar a cabo las cosas que se tienen que hacer no es suficiente. La forma de poner en práctica las cosas que se tienen que hacer tiene un impacto directo en los resultados. Es decir, al ejecutar, se refleja con qué calidad y ética haces las cosas. La gente te observa y de ese mismo modo, te percibe y te copia. Por lo tanto, *debes ser cuidadoso para que tus acciones provoquen el deseo de copiarlas y no de malos entendidos*. Pues al ejecutar, todos sabrán con qué ética estás haciendo las cosas. Piensa si deseas provocar que haya un deseo de parte de los demás por copiar tus acciones o de alejarse por tu mal proceder y carácter.

En nuestros comienzos fue difícil, pues el equipo al que pertenecíamos tenía el talento de asociar personas y de cierta manera, entrenarlas. Lamentablemente, su carácter reflejaba una serie de malas prácticas. Recuerdo que eran muy deshonestos, irresponsables y, sobre todo, no daban un buen ejemplo.

> **Debes ser cuidadoso para que tus acciones provoquen el deseo de copiarlas y no de malos entendidos.**

Hubo momentos en los cuales me pregunté: ¿Cómo estoy haciendo las cosas? ¿Cómo debo mejorar? Asociábamos a un número de familias y al primer o segundo mes, abandonaban el proyecto. Era muy frustrante ver a las personas renunciar. Yo no entendía por qué desistían. No se trataba de hacer por hacer. Me dediqué a la tarea de observar y analizar cómo es que se hacían las cosas. Empecé a darme cuenta de las malas prácticas y logramos entender que el carácter o la forma de ser tiene un impacto directo en los resultados. Empezamos a asociar personas con el objetivo de desarrollarles el carácter. En los eventos, el enfoque era desarrollar a las personas internamente. También creamos conceptos de escuelitas, lo cual consiste en reunirse en la casa de los socios y empezar un proceso de fortalecimiento y entrenamiento en relación a todo lo que hay que hacer para obtener resultados. Sabíamos que teníamos que modelar las cosas con un buen carácter para obtener mejores resultados.

Después de unos meses, los resultados fueron mejorando y nos dimos cuenta que el carácter nos llevaba más lejos que el talento. Las personas necesitaban no solo ser entrenadas, sino también ser fortalecidas mentalmente para superar cualquier adversidad. Nos dimos a la tarea de ayudar a elevarles la convicción de que ellos podían ser personas exitosas. También había que fortalecerlos en relación a la perseverancia, el respeto, la puntualidad, autodominio, paciencia, integridad y la actitud de servir.

Ninguna persona puede ser exitosa sin creerlo primero. Por lo tanto, el carácter de un individuo es fundamental. El carácter de una persona afecta el *hacer*. Es decir, tus conocimientos internos y tu forma de sentirte en relación a este modelo de negocio tienen un impacto directo a la hora de hacer las cosas. El que no trabaje en su carácter está predestinado a tener fracasos en el *hacer*. No hay éxito sin la calidad de ejecutar lo que se tiene que hacer.

Para un Hacedor, ser íntegro y tener un carácter honorable para enfrentar las adversidades no es negociable. De nada sirve cuánto sepas y cuánto hagas si no eres íntegro, paciente o responsable. Todo lo que sabes y todo lo que haces, hazlo con calidad. Es fundamental aceptar que no importa quién seas o cuánto tanto sepas—nunca vas a dejar de aprender y mejorar.

Puedo decirte con certeza que el carácter tiene una gran influencia, al grado que nos puede llevar a hacer mucho o nada. Está dentro de nosotros y modifica nuestra forma de ser para bien o para mal. Un jugador de fútbol puede ser muy talentoso, pero si no tiene el carácter de condicionar su físico, no triunfará. Por el contrario, otro jugador que no es tan talentoso pero que tiene el carácter de ser perseverante, de recuperarse pronto y sobre todo, la actitud de seguir instrucciones, seguramente triunfará.

Lo mismo ocurre en el negocio. Hay personas muy talentosas, pero no tienen la fuerza para recuperarse cuando los critican o los rechazan, y entonces su gran talento se desperdicia porque la frustración los atrapa. No se dan cuenta de que el rechazo es parte del proceso. Su talento se quedará en la cama, frente al televisor o en una mesa de dominó con los amigos. En cambio, una persona con carácter positivo, aún con la mitad de ese talento, será mucho más exitosa, porque los valores que tiene bien arraigados marcarán su progreso y estará inevitablemente recorriendo un camino sin obstáculos hacia su meta. El carácter de un individuo le permite desarrollar sus habilidades y mejorar su talento.

El carácter está estrechamente relacionado con las experiencias del individuo. Esto le permite desarrollar ciertas aptitudes que forman su carácter. En mis experiencias al trabajar con tantas personas, sé que pueden modificar su carácter todo el tiempo, siempre y cuando se lo propongan con el poder ilimitado de la voluntad.

Los talentos, por otro lado, son las habilidades y los dones que cada individuo posee. Un ejemplo son las personas que nacen con talento para la música, el arte, la escritura, la poesía, el liderazgo, etc. Sin importar el talento que tengas, debes aprender a esforzarte mucho y evitar criticar a los que no sean tan talentosos como tú. Nadie es un superhéroe. Los que son talentosos deben darse cuenta que otros podrían dedicar horas y horas a la práctica y podrían obtener los mismos o mejores resultados. Al final, la habilidad que uno y otro obtenga será la misma. Llega a un punto donde el talentoso no tolera la competencia y se puede dar por vencido si no tiene la voluntad de fortalecer su buen carácter.

Cuando digo que el carácter lleva a un líder más lejos que el talento, me refiero a esas cualidades y habilidades que el hombre logra alcanzar y desarrollar; no porque tenga o no la facilidad de hacerlo, sino porque primero se desarrolló como persona, dándole importancia a cualidades del carácter como la perseverancia, la honestidad, la puntualidad, el dominio propio, la lealtad, la integridad, etc. Las personas que llegan lejos en la vida no son las que tienen muchos talentos, sino las que tienen un carácter de lucha, porque el talento es superado por el carácter.

10. El Hacedor entiende la importancia de tener un plan de acción, antes de tomar cualquier iniciativa

Un amigo una vez me comentó sobre su experiencia al correr un maratón. Me describió lo formidable que fue cruzar la meta con toda esa gente aplaudiendo su llegada y la de otros miles que también hicieron el recorrido de los 42,195 kilómetros. Corrió 3:25 horas a lo largo de las calles de la ciudad para lograrlo. Lo escuché atentamente, pues me impresionó con qué pasión y orgullo lo relataba. Desde que salió, entre otros 15.000 corredores y perdido entre tanta gente, se empezó a abrir camino con la vista puesta en la meta, y aunque se veía muy lejana, no dudaba ni un poco que la alcanzaría. Al llegar a los primeros 10 kilómetros, se sentía muy bien y animado—fresco aún. Sin embargo, pasó por la estación de suministro de agua y tomó su primera bolsa de agua.

Siguió corriendo por las calles de la enorme Ciudad de México, enfrentando subidas y bajadas de los puentes, y así llegó a los 21 kilómetros. Era medio maratón. Ahí comenzó a sentir los estragos del cansancio; se acercó al suministro de agua y esta vez tomó dos bolsas, una que ingirió en ese momento y otra más que sostuvo entre sus manos, pues se dio cuenta que había ya muy pocas y no sabía si en el siguiente puesto habría más. Por lo tanto, no quiso correr el riesgo. Unos metros adelante, se percató de que muchos de los corredores que se habían adelantado estaban sentados en la banqueta; habían corrido con mucha velocidad, pero no tenían bien planeado el kilometraje y no resistieron más. Tuvieron que abandonar la carrera.

Él, sin embargo, llevaba un trote con el que había entrenado, y estaba seguro de que su cálculo le daría la fuerza suficiente para alcanzar la meta. Después de todo, su objetivo no era llegar primero, sino asegurarse en cumplir con cruzar la línea final. Siguió adelante, dejando atrás su cansancio hasta que llegó al kilómetro 30; ahí sintió que las piernas flaqueaban—era el cansancio normal. No importó; también esperaba que sucediera eso y estaba listo para ejecutar el plan que, por supuesto, no era renunciar. Disminuyó la velocidad hasta estar prácticamente caminando, mientras tomaba el agua que había guardado kilómetros antes. Sus piernas se recuperaron y pronto consiguió volver a trotar hacia la meta. Así lo repitió cuantas veces fue necesario. Al llegar al tramo final, la emoción de ver la meta tan cerca lo invadió y logró sacar fuerzas para cruzarla, orgulloso de haber cumplido su sueño.

Esto no lo hubiera logrado si no hubiese tenido un plan antes de salir a buscar tan importante objetivo. Triunfó.

El caso de un alpinista también es prueba de ello. Ellos tienen que prepararse igual de arduo para enfrentar la montaña; pero además, deben preparar una mochila que contenga no solo lo necesario para subirla sin problemas. La mochila debe contener las herramientas necesarias para enfrentar retos: anticiparse a los cambios del clima, los accidentes, una lesión, una enfermedad repentina. Cuanto más planeada sea su expedición, más preparados estarán para los infortunios y saldrán adelante, y seguro que llegarán a la cima soñada.

Esa es la manera como nosotros debemos preparar nuestro día a día para triunfar en nuestro negocio. Debemos tener siempre a la mano un plan de acción que abarque desde qué, cómo, dónde, cuándo y a qué hora voy a hacerlo, así como también tomar en cuenta los obstáculos a los que nos podamos enfrentar. Así estaremos preparados para cualquier eventualidad. Buscaremos, entonces, las herramientas necesarias para enfrentarnos a lo que se nos presente. No hay nada mejor que planificar nuestra jornada de trabajo y anticiparnos a lo que pueda suceder en el camino. De esa forma, estaremos siempre listos y lograremos salir victoriosos de cualquier obstáculo en el camino. Cuántas personas han fracasado en el intento de llegar a una meta porque al presentarse el primer escenario adverso, no estaban preparadas para enfrentarlo y no tenían las herramientas necesarias para triunfar.

Nuestro entrenamiento, como el de un maratonista, debe contemplar obstáculos en el camino y estar preparados para ellos, y nuestra cajuela, como la mochila del alpinista, debe estar llena de lo que podamos necesitar en nuestro plan de acción del día. Antes de arrancar, pregúntate si ya tienes todo lo que te puedan pedir.

Cuando salgas a cumplir con tu jornada, siempre mantente optimista y con una actitud completamente positiva, pero sin caer en extremos de no prepararte en el caso de que algo no salga como esperabas. Saber y ser consciente de que algo puede salir mal no es ser negativo; es ser realista e inteligente, pues si imaginamos escenarios adversos, pueden ser nuestros ensayos para tener siempre un plan B en caso que sea necesario. No esperes siempre encontrarte con las condiciones idóneas. Hay que planificar todo tipo de escenarios. Hoy te encuentras leyendo este libro que es parte de tu preparación, una lectura que te brindará las herramientas que usarás en el día a día.

11. El Hacedor sabe que hay poder en la fe

Pedid, y se os dará; buscad, y hallaréis; llamad, y se os abrirá.

Porque todo aquel que pide, recibe; y el que busca, halla; y al que llama, se le abrirá.

¿Qué hombre hay de vosotros, que si su hijo le pide pan, le dará una piedra?

¿O si le pide un pescado, le dará una serpiente?

Pues si vosotros, siendo malos, sabéis dar buenas dádivas a vuestros hijos, cuánto más vuestro Padre que está en los cielos dará buenas cosas a los que le pidan? (Mateo 7.7–11 RVR1960)

Todavía recuerdo cuando leí estos versos en la Biblia. Me llenó de esperanza y de emoción saber que no estaba solo. Saber que alguien me acompañaba en mi jornada me daba ánimo. Lo más satisfactorio ha sido que todo lo que le he pedido a Dios me lo ha concedido. «La fe mueve montañas», dice todo el mundo. Pero, ¿qué es la fe? La fe es creer en algo aun sin verlo; es hacer algo con ilusión y emoción para que le dé sentido y dirección a lo que hacemos. Cuando actuamos con fe, no nos cuesta trabajo hacer lo necesario para conseguir el triunfo, y créeme cuando digo «lo necesario».

Debemos hacer las cosas con fe. Fe en que podemos lograr lo que nos proponemos, basándonos en el conocimiento de nuestras capacidades y cualidades. Este es un punto muy importante, pues nuestras cualidades serán siempre nuestras mejores armas y herramientas para salir adelante. Aprovéchalas, porque de otra manera, alguien más lo hará por ti.

La fe también nos da fortaleza para enfrentar adversidades. Cada vez que se nos presenta un reto, debemos acudir a nuestra fe en que podremos salir adelante. Claro que la fe debe estar acompañada por el trabajo, el esfuerzo y la entereza para lograrlo a pesar de las circunstancias que se presenten. Cuando Dios le encomendó a Noé la construcción del arca para enfrentar el diluvio, Noé tuvo que poner— además de la fe—el trabajo diario, y sin mirar atrás. Cuando tenemos fe, lo nota todo el mundo y eso nos abre el camino. La gente que nos rodea se contagiará de nuestra fe y lograremos que trabajen con nosotros para lograr metas.

Hay que expresar fe con todo nuestro ser y decidirnos a todo. Debemos estar listos mental, física y espiritualmente para nutrir nuestra fe de día a día y aprovechar todas las cualidades existentes y recién adquiridas. Y cuando ya descubrimos que podemos lograr lo que nos proponemos, entonces debemos creer que podemos lograr aún más. La fe es un aspecto espiritual y por eso tiene un poder infinito. La fe te mueve aunque quieras o no. Te lleva adelante siempre.

12. El Hacedor tiene iniciativa propia y se impulsa a crecer y a mejorar

Qué tan lejos vayas depende de la grandeza de tu voluntad. Todos tenemos ideas, pero no todos dan pasos para que esas ideas germinen. El ser humano, por naturaleza, es creativo, pero no todos se impulsan para mejorar lo que no le funcionó. Se requiere iniciativa propia para poner las ideas en acción y se requiere empuje para mejorarlas.

Una persona con iniciativa propia no espera a que alguien le impulse o motive. Toma riesgos y es creativa para que las cosas sucedan. Cree en sí misma y en su proyecto y lucha por sacarlo adelante, a pesar de no poder controlar las circunstancias. ¿Cuál es el perfil de alguien que tiene iniciativa propia? Es audaz, tiene confianza, es tenaz, es responsable, provoca que las cosas sucedan; tiene voluntad y pasión por lo que hace. No habla solo del problema, sino que habla de opciones para solucionarlo. El tener iniciativa propia es adelantarse a los demás, pues decide actuar y no a esperar a que le digan que haga lo que ya sabe que tiene que hacer.

La iniciativa propia no es una opción para el Hacedor; es su responsabilidad para lograr objetivos. Es decir, es responsabilidad del Hacedor encontrar un motivo que lo mueva. El Hacedor debe tener «autoarranque». En este nivel, el sentimiento y la pasión son personales. Las cosas suceden porque tú provocas que sucedan. Si necesitas que alguien te motive, que alguien te arranque el motor, entonces te falta más combustible. El combustible es interno y le costará a alguien transferirte su pasión. El Hacedor abraza esta verdad y se esfuerza diariamente para motivarse y tomar iniciativa para autoarrancarse y hacer que las cosas sucedan.

> **Los líderes tienen que aprender a impulsarse más allá de las fronteras de su zona de confort.**

Con esta actitud, los Hacedores se impulsan a crecer y a mejorar. La fuerza que uno obtiene para continuar depende del impulso. Tu capacidad de impulso es la capacidad de fuerza que acumulas. Es decir, tu nivel de fuerza está determinado por tu determinación. En una corrida de toros, antes de que el toro salga a la plaza, lo primero que hacen es provocarle ansiedad a través de una chicharra eléctrica. El nivel de ansiedad del toro determinará el nivel de impulso y de fuerza que tendrá al salir a la plaza. Acrecentar tu fuerza puede llevarte al éxito y proporcionarte la motivación para perseverar ante el desaliento y los obstáculos.

No hay artista o atleta con grandes logros que no se haya impulsado a mejorar. Un ejemplo de ello son los compositores. Ellos le dan atención meticulosa a los detalles necesarios para mejorar las notas.

Las personas que se impulsan a mejorar y crecer tienden a no procrastinar (posponer) su éxito. Los deportistas, científicos y artistas que frecuentemente muestran signos de impulso suelen ser considerados superdotados. Piensa en Cristiano Ronaldo, estrella del fútbol, y te darás cuenta que detrás de esas habilidades, hay días o quizás años de impulso para mejorar y crecer. Señoras y señores, todos podemos impulsarnos para mejorar y crecer. Nadie ha logrado cosas grandiosas sin esforzarse para mejorar. *Los líderes tienen que aprender a impulsarse más allá de las fronteras de su zona de confort.* Esa es la tarea del Hacedor: conducirse él mismo donde muchas veces ni siquiera ha estado. Para hacer esto, el Hacedor tiene que abrazar la idea de estar incómodo, impulsándose hacia un territorio que no es familiar. Cuando el Hacedor deja de impulsarse, deja de crecer y deja de avanzar.

> **Solo aquellos con el coraje, las agallas y la disciplina para empujar duro irán a lugares donde no han ido antes, para reclamar esas recompensas que otros no pudieron ni soñar.**

Es necesario que un Hacedor se impulse. Los grandes logros están siempre localizados más allá de la comodidad. Las recompensas por los logros se esconden más allá de las fronteras de la comodidad. *Solo aquellos con el coraje, las agallas y la disciplina para empujar duro irán a lugares donde no han ido antes, para reclamar esas recompensas que otros no pudieron ni soñar.*

13. El Hacedor se apoya en un sistema de entrenamiento y crecimiento personal

El ser humano no tiene la capacidad de retener el cien por ciento de lo que aprende. El cerebro tiene un sistema de almacenamiento que no es totalmente infalible (certero). La memoria incluso nos puede jugar algunas malas pasadas. A veces aprendemos algo bien, pero el cerebro lo almacena mal y corremos el riesgo de memorizar algún concepto erróneo. Es por eso que debemos estar continuamente entrenándonos para seguir aprendiendo y reaprender lo ya aprendido. No hacerlo es un error.

Entonces, cuando creemos saberlo todo, lo único que pasará es que nos estancaremos. La mente suele retroceder cuando no la estamos nutriendo de información. Esto lo lograremos de formas diferentes y puede depender de cada quien. Todos tenemos estilos de aprendizaje diferentes: Podemos leer libros, escuchar audios, ir a seminarios, clases o conferencias. Esto no solo mantendrá tus aprendizajes actualizados, sino que además te puede brindar nuevas ideas, nuevos conceptos o métodos para mejorar tu trabajo, y podrás ver las cosas desde una nueva perspectiva.

Hay que recordar que los Hacedores pasan por etapas mientras están impulsándose a mejorar. A veces no tienen los resultados que quieren y se desaniman. En otros casos, creen que lo saben todo y dejan de escuchar a su guía.

Es como aquellos leñadores que salían todos los días a cortar árboles: Uno de ellos cortaba los árboles usando la fuerza que poseía, pero el filo del hacha cada vez era menos y menos, por lo que tenía que usar más la fuerza hasta que ya no podía más. En cambio, el otro cortaba dos árboles y luego afilaba su hacha; cortaba otros dos y la afilaba de nuevo. A la larga, el que afilaba su hacha cortaba más árboles y requería de menor esfuerzo. Por lo tanto, nosotros debemos estar afilando nuestra hacha constantemente a través del conocimiento adquirido. Tengo la seguridad de que si lo haces, el crecimiento será automático. Al mismo tiempo que tus conocimientos aumentan, así lo harán tus ideas proporcionalmente; por lo tanto, también deberás tener un plan de crecimiento personal.

14. El Hacedor sigue los métodos comprobados

En este nivel, no es momento de inventar. «Nadie escarmienta en cabeza ajena». Cuántas veces habremos escuchado esta frase. Sin embargo, cuántas veces le hemos hecho caso. Esta frase, en resumidas cuentas, nos dice que es mucho mejor aprender de los errores de los demás que cometerlos nosotros mismos. Para qué perder tiempo en equivocarme y corregir algo que ya otros experimentaron. Es mejor aprender de ellos.

Cuando un proyecto nuevo llega a nosotros, no quiere decir que es nuevo para todos; lo más seguro es que delante de nosotros haya más personas que ya han experimentaron métodos para conseguir resultados. Antes que nosotros, ya se realizaron experimentos hasta que dieron con la fórmula correcta. Entonces, lo que debemos hacer es aprovechar esa experiencia para partir desde ese punto hacia adelante. Es solo que a veces nos aferramos a vivirlo nosotros mismos y no hacemos caso a lo que nos dicen. Esto solo nos causará una pérdida de tiempo muy valioso que nos alejará del objetivo.

Es como si fuéramos al médico y nos diagnosticara una infección, y en vez de acudir a la farmacia por un antibiótico que ya pasó por todas las etapas de experimentación y cuya eficacia está comprobada, tomamos un microscopio y comenzamos a hacer los experimentos nosotros desde el principio, con diferentes plantas que ya fueron usadas sin ningún resultado. Es probable que lleguemos al mismo resultado; sin embargo, quizá será demasiado tarde y la infección haya avanzado tanto que ya no haya remedio.

Lo que debemos hacer es tomar en cuenta lo que los experimentados nos dicen y hacer que funcione como a ellos. No digas «a mí no me va a pasar». Ahorremos tiempo valioso para llegar pronto a nuestra meta. Por lo tanto, observa a los viejos que han recorrido ya el camino; hazles caso, ellos ya intentaron muchas formas y encontraron las mejores. Sigue las huellas que han dejado para que des pasos certeros por ese camino ya probado. Cuando tengas los resultados, entonces sí puedes arriesgarte a innovar y a partir de allí, podremos buscar mejores métodos y seguramente, lograremos grandes resultados.

15. El Hacedor debe trabajar como parte de un equipo y edificar el liderazgo de la organización

Cuando iniciamos desde la etapa de aprender, somos muy dependientes de nuestros guías; estamos en un periodo de dependencia que nos da como resultado el no producir por nuestra propia cuenta. Una vez superado este aprendizaje, logramos elevarnos al siguiente nivel; nos hacemos más independientes y comenzamos a producir por nuestra propia cuenta. Los resultados que empezamos a tener nos pueden elevar el ego. *No* entendemos que no somos del todo independientes, no podemos sentir que por saber, ya no necesitamos de nadie. Esto nos hace ver como envidiosos y arrogantes. En efecto, al ser independiente, ya eres productivo; pero para ser mejor y abarcar más, requerimos siempre de otros, porque así funcionamos los seres humanos, en sociedad. En una reciente entrevista, le pregunté al presidente George W. Bush qué significa el liderazgo. Su respuesta fue muy sencilla, pero llena de sustancia. Él respondió que liderazgo era «un grupo de personas pensando en común, por un propósito», lo cual tiene mucho sentido. Al contrario, si es un solo individuo, el «piensa e impone» se convertiría en dictadura.

Por lo tanto, el estado óptimo es pasar de la dependencia improductiva a la independencia productiva, y tener la inteligencia para buscar la interdependencia que nos lleve a crecer y seguir avanzando en equipo. Los resultados nos irán llevando, poco a poco, a necesitar de una red de apoyo para consolidar estos resultados. Esta red de apoyo será tu equipo. Para concluir, los independientes somos partes de un equipo y trabajar con este equipo optimizará los esfuerzos para llegar a la meta.

Los hacedores edifican el liderazgo de la organización. Son parte de sus pilares; su liderazgo ejerce un impulso hacia los demás que vienen creciendo por debajo de ellos. Cuando somos parte de una organización, somos parte del liderazgo de la misma. Es decir, al transmitir nuestras experiencias hacia los demás, logramos que cada uno de ellos se fortalezcan; al fortalecerlos, fortalecemos también a la organización y al hacer eso, nos fortalecemos a nosotros mismos. Esto es un círculo perfecto y virtuoso. Así es cómo debemos funcionar para lograr que crezcamos todos.

Como lo hemos mencionado en el punto anterior, cuanto más independientes, más productivos y más productivos seamos, más interdependientes seremos. Debemos entender que no hay nadie que pueda con todo, ni estar en dos lados a la vez; es decir, no somos autosuficientes. Quien así lo crea comete un error que finalmente no le permitirá crecer. Mira este ejemplo: Una taquería pequeña puede ser atendida por una sola persona. El dueño será el que tome el pedido, prepare los tacos, dé la cuenta y cobre. Sin embargo, solo lo logrará mientras la taquería sea pequeña. Si crece y él no entra en la interdependencia y contrata ayudantes que le ayuden a atender la demanda de los clientes, muy pronto estarán insatisfechos y terminarán comiendo tacos en otro lado.

Hay que entender, entonces, que somos parte de un equipo. Por lo tanto, edificar al equipo es edificarse a uno mismo. Al ser parte del liderazgo del equipo entero, y no de una sola persona, el crecimiento de cada uno es el de todos; un grupo de líderes formarán siempre un equipo líder.

16. El Hacedor se apoya en sus fortalezas, mientras trabaja en sus debilidades

Imagina que eres un futbolista habilidoso para patear la pelota. Disparas a la portería, mandas pases largos y realizas tiros libres desde fuera del área, pero te cuesta mucho trabajo defender y enfrentar a varios jugadores a la vez. ¿Qué harías? Primero que nada y muy seguramente, evitarías a toda costa que te colocaran en la defensa, pues pondrías en riesgo al equipo y por supuesto que terminarías fuera de él. En segundo lugar, si te llega la pelota cuando estás frente a tres adversarios, no intentarías salir jugando; más bien, aprovecharías tu gran toque y mandarías un pase a un compañero que esté en ventaja. Esto te haría ver muy bien. Y en tercer lugar, cobrarías todos los tiros libres y dispararías al arco cada vez que tuvieras la oportunidad, y esto te haría un goleador exitoso y por consiguiente, un gran jugador de fútbol.

Una de las piezas clave del éxito de un individuo, cualquiera que sea su actividad, es el explorar sus cualidades. Cada uno de nosotros tenemos cualidades que hemos desarrollado a lo largo de nuestra vida, que nos caracterizan y que se han convertido en nuestras herramientas de éxito. Pero la pregunta es: ¿Conocemos bien cuáles son nuestras cualidades?

Es muy frecuente que tengamos más conciencia de nuestras debilidades que de nuestras cualidades, pues las escuchamos más seguido desde niños. Es muy extraño, pero el ser humano le presta más atención a las debilidades que a las cualidades. Conocer las dos es sustancialmente importante. Las debilidades porque tenemos que corregirlas en la medida de lo posible y evitar situaciones que nos obliguen a exponer estas debilidades y pongan en riesgo nuestro éxito.

Es fundamental identificar tus debilidades para atacarlas y corregirlas, pero lo más importante es hacer un autoanálisis para identificar tus cualidades, tus fortalezas y aprovecharlas al máximo. Esto te mantendrá siempre motivado y te llevará por un camino exitoso.

17. El Hacedor sabe establecer prioridades

La vida de un ser humano está llena de cosas por hacer. Todos los días, tenemos planes: los programados, los no planeados, los de la agenda, los improvisados, los necesarios, los urgentes, etc. Elegir entre todos ellos es algo cotidiano. Esto nos enfrenta con la constante necesidad de tomar decisiones, y no siempre estamos preparados para tomar la mejor, o mejor dicho, la más apropiada. Aprender a establecer un orden de prioridades es una herramienta indispensable para un buen Hacedor, ¿pero cómo aprender a tomar decisiones? Es fácil cuando entendemos que dependerá siempre del momento en que nos encontremos.

Ubiquémonos justo en el momento en que estamos ahora, en el del «Hacedor»: Una etapa de pleno crecimiento, con la gran necesidad de aprovechar el tiempo, lo cual requiere de nuestro cien por ciento. Por la naturaleza de la vida, se nos presentará continuamente la necesidad de decidir el orden de importancia entre tantas cosas que debemos hacer, pero es justo el momento en el que el Hacedor debe mostrar su capacidad para hacerlo. Suena difícil, pero en realidad no lo es.

Esto me hace recordar a mi pequeño vecino Dylen, un pequeño de tan solo 10 años, quien hace algún tiempo, tocó la puerta de mi casa buscando a uno de mis hijos. Traía en la mano una caja de chocolates. Mientras uno de mis hijos bajaba por la escalera, le pregunté:

—Dylen, ¿por qué traes una caja de chocolates?

—Hola, los estoy vendiendo.

—¿Vendiendo? —respondí,— ¿Cómo que vendiendo? ¿Por qué?

—Le pedí a mi padre que me comprara una Xbox y a cambio de eso, me dio 20 dólares y me llevó a comprar cinco cajas con 20 chocolates. Entonces, los estoy vendiendo a un dólar cada chocolate.

De inmediato pensé: «Su padre le está dando su primera lección financiera. Convertirá esos 20 dólares en 100». Por supuesto que yo no tenía la intención de sumarme a su lista de clientes; sin embargo, al llegar mi hijo Ángel de tres años de edad, Dylen le mostró los chocolates y le pidió que tomara uno. Por supuesto que Ángel no lo pensó; cogió el primero que se encontró y salió despavorido hacia donde yo no lo viera, tal vez porque temía que se lo quitara. Dylen levantó su mirada hacia mí y me dijo: «Es un dólar». No terminaba de decirlo cuando llegó Juan Gerardo, el mayor de mis hijos; tomó otro de los chocolates, dio media vuelta y se fue. Dylen me miró de nuevo y me dijo: «Ahora son dos dólares». Me dio mucha risa como sucedieron las cosas, pero no me quedó más que pagar los dos dólares.

Al final, Dylen compró su Xbox después de vender los chocolates necesarios para alcanzar el monto que necesitaba. Y no fue lo único que tuvo que hacer, pues hay un esfuerzo detrás de esta venta. Dylen tuvo que elegir entre ver televisión o salir a vender sus chocolates; entre ir a jugar con sus amigos o volver a surtir su negocio; entre quedarse en casa a ver como pasaba el tiempo o salir a ofrecer los chocolates. Así es, lo pensaste bien: Qué difícil para un niño no haber elegido jugar y hacer cosas de niños para salir a vender chocolates.

Pues si Dylen pudo concentrarse en su objetivo y dedicarse—sin distracciones—a realizar lo necesario para lograrlo, fue porque decidió que este sueño era su prioridad, así que dejó de hacer cosas que no le retribuían y que lo alejaban de su objetivo. Entendió perfectamente que solo así lo iba a lograr, que su prioridad era conseguir el dinero para comprar su vídeojuego. Por lo tanto, se dedicó a hacerlo hasta verlo hecho realidad.

Claro que sobre la marcha pueden surgir imprevistos que nos colocan de nuevo ante la disyuntiva de elegir qué vamos a hacer. Cuando yo me encuentro en una situación así, divido primero las cosas entre las urgentes y las importantes. Las urgencias no siempre son importantes. Sin embargo, lo importante siempre lo es. Esto es fundamental porque sin ello, quizá no podríamos funcionar. Solemos dejarnos llevar más por las emociones que por la razón y cuando se nos presenta una urgencia, queremos salir corriendo sin darnos cuenta que quizá nosotros no seamos la solución a esa urgencia. Hay otras personas que se dedican a solucionar las urgencias como los médicos. Para él no es una urgencia, es simplemente su trabajo; para él, su trabajo es importante, no urgente, y por eso lo hace. Él es el encargado de correr para resolver tu urgencia; tu quehacer es cuidar que las cosas importantes que tienes que hacer no se descuiden y se cumplan.

Mucha gente se esconde detrás de las urgencias y dejan de hacer las cosas importantes, sin darse cuenta que descuidarlas para atender una «urgencia» los puede meter en aprietos, pues la emergencia tarde o temprano se resuelve. Así pues, estamos siempre llenos de urgencias que cuando las analizamos resulta que corrimos hacia la urgencia y cuando llegamos, no hacemos nada para resolverla; solo observamos como los encargados de resolverla lo hacen. Mientras tanto, lo importante se ha quedado en el olvido y con ello, tal vez nuestras metas y sueños.

Entonces, los hacedores que ya tienen en la mente un sueño, que se han planteado metas para llegar hasta cumplirlo, deben empezar por decidir cuáles son sus prioridades de acuerdo a la escala de retribución y apegarse a ellas. No deben perder tiempo en situaciones que no le retribuyen en nada o poco. Es mejor concentrarnos en las prioridades, en aquellas que consideramos cómo invertir tiempo y que nos acercan a la meta planteada y por la cual estamos haciendo cosas.

18. El Hacedor actúa con integridad y es modesto y transparente

Isaac Newton dijo que a toda acción corresponde una reacción, y agregó que esta reacción tendrá igual magnitud y dirección, pero en sentido contrario. Esta tercera ley de Newton es aplicable perfectamente a nuestro accionar ante la vida. Siempre que ejecutemos una acción, tendrá una reacción, aunque la excepción es que no siempre en sentido contrario. Por eso, debemos actuar siempre con integridad, con congruencia a los principios fundamentales y valores elementales del respeto, la honestidad y la verdad. Actuar así tendrá siempre una reacción de igual magnitud que nos impulsará siempre hacia adelante, que nos posicionará en un lugar estratégico para avanzar y crecer.

¿Pero qué sucede si lo hacemos al contrario y actuamos sin estos valores y principios? ¿Si somos deshonestos, tramposos, ventajosos, e ignoramos los valores y pisoteamos principios, con una incongruencia con lo que debemos hacer? La reacción será de la misma magnitud, pero esta vez tal como lo dijo Newton, en sentido contrario. Tendremos la sensación de estar avanzando; sin embargo, cuando la reacción se presente, nos empujará con la misma intensidad hacia atrás, retrocederemos lo avanzado y dejaremos un precedente que no nos permitirá avanzar de nuevo por el mismo camino. No vale la pena hacer lo incorrecto, pues solo perderemos tiempo valioso y nos alejaremos del camino al éxito.

El Hacedor debe estar ubicado, sabiendo que sus acciones son las huellas que va dejando en el camino y que tarde o temprano, le será premiado lo bueno y reclamado lo malo que ha hecho. La gente te recordará siempre por lo que hiciste. Además, tu reputación dará honor o vergüenza a tu familia entera: hermanos, padres e hijos. Quienes actúan sin integridad pueden pensar que han ganado, porque verán resultados favorables a corto y quizá mediano plazo, pero a largo plazo, terminarán mal.

Una persona íntegra, por naturaleza, es sencilla y transparente. Mucha gente cae en la tentación de la soberbia. Creen que, porque los resultados les favorecen, tienen derecho a mirar por encima del hombro a los demás y esto es claramente un error. *Tenemos que estar conscientes de que no obtendremos grandes resultados sin la ayuda de otros y sin el esfuerzo de otros que están trabajando tanto como nosotros*, y caer en esta tentación, sin duda, acabará derribándonos del pedestal donde nos hemos colocado. Si creemos que al ganar una batalla, ya hemos ganado la guerra, sucumbiremos sin oportunidad de defendernos. Si creemos que al llegar a la primera cima, las otras ya están conquistadas de forma automática y nos dedicamos a jactarnos y presumir de un logro a medias, todo se nos volteará. La humildad ante los demás es un valor indispensable del crecimiento. Si no logramos mantenernos con humildad ante los demás, no podremos hacerlo tampoco ante nosotros mismos y entonces estaremos estancando nuestro ascenso a niveles superiores de liderazgo.

Hay que sentirse orgulloso del esfuerzo que hemos realizado, aprender a disfrutarlo, a valorarlo y apreciarlo del todo, pero siempre con los pies sobre la tierra para no caer. Recordemos que no somos los únicos que podemos obtener resultados y que no hay solo una montaña para escalar. Incluso podemos escalar la misma montaña muchas veces por diferentes caminos. Es decir, la vida es siempre una lucha por llegar a una cima cada vez más alta, y ser altanero y soberbio estorba la conquista de las demás que tendremos enfrente. Es más, nos hará llegar solos, ¿pues quién quiere estar cerca de un altanero? ¿A quién le gusta festejar al soberbio? Y créeme que llegar a la cima solo es aburrido. No tendremos con quién compartir el éxito, y aun peor, no tendremos quién nos ayude a subir la que sigue. Nos iremos quedando sin compañeros y hasta sin amigos.

> **Tenemos que estar conscientes de que no obtendremos grandes resultados sin la ayuda de otros y sin el esfuerzo de otros que están trabajando tanto como nosotros.**

Ser humilde, por el contrario, nos hará sentir mucho más orgullo, no solo de nosotros, sino también de los que nos ayudaron a llegar y además, seguramente porque nosotros también los hemos ayudado a llegar más alto. Es un círculo de ayuda mutua donde el Hacedor sabe que ayudar a los demás es ayudarse a sí mismo. Que el buen trato, la cercanía con el equipo y el reconocimiento de su esfuerzo hará que quieran seguir a nuestro lado y seguramente, emprenderán el nuevo camino con nosotros hacia la conquista del siguiente objetivo. El reconocimiento de nuestros resultados nos lo dará alguien más y no nosotros mismos; no necesitamos hacer alarde de ello.

Es muy importante para tu equipo que te miren siempre como alguien humilde que los reconoce y los fortalece, que los inspira a llegar a la cima también, que les demuestra que pueden ser ellos quienes estén en la cima la próxima vez. Tienes que actuar con la transparencia que les permita verte como un líder verdadero de grandes resultados, pero también que puede ser remplazable, y que tú mismo los ayudas a que avancen hacia ese camino. Nunca olvides que tu crecimiento es el de ellos y el de ellos es el tuyo.

19. Los Hacedores saben relacionarse

«Tu negocio va a ser tan grande como tus relaciones». Tener conocidos o amistades es un punto muy valioso para nuestro negocio. Sin embargo, no se trata de solo tenerlas; hay que cuidarlas, mantenerlas vivas. Para lograr esto, es necesario dedicarles tiempo. Aprende a provocar buenas emociones en tus amigos. Aprende a provocar armonía. Es muy difícil tener tantas amistades como quisiéramos, pues no nos daría tiempo. Entonces, necesitamos que nuestros líderes también hagan su red de amistades. Si cada uno de ellos tiene su propia red y está unida por nosotros, pronto una red muy extensa nos llevará al éxito seguro.

Sin embargo, debemos cuidar estas amistades y las relaciones que tenemos con ellas. Un Hacedor debe relacionarse con otro Hacedor. Los buenos con los buenos, en un sentido más explícito. Tenemos que alejarnos de las amistades que nos provocan situaciones que nos alejan de nuestro camino hacia los objetivos. Estas relaciones serán nocivas para nosotros y por ende, para el negocio. Es mucho mejor rodearnos de gente que tenga los mismos valores y que esté luchando como nosotros por un sueño o un ideal. De esta amistad, saldrán siempre cosas buenas, ideas, consejos, ayudas y motivos. Así que no solo hay que tener amistades, sino saber con quién sí y con quien no relacionarse; tenemos que buscar afinidad entre nuestras amistades para que no se queden solo en amistades, sino en buenas relaciones.

20. El Hacedor tiene visión y demuestra convicción

«Para decidir invertir el tiempo en algo, debe haber siempre un objetivo para hacerlo». Cuando nos fijamos una meta o un objetivo, tenemos que no solo crearlo, también tenemos que visualizarlo. Debemos vernos allí, en la meta, con el objetivo cumplido. Debemos tener la convicción de que lo lograremos para poder dar un vistazo al futuro y vernos realizados. Esto nos llenará de motivación y no solo a nosotros; la gente nos verá tan comprometidos y con tantas ganas por lo que estamos haciendo que no dudarán en contagiarse de nuestro entusiasmo. Muchos querrán seguirnos; se van a unir a nuestra causa y les podremos convencer de establecer su propio objetivo y seguir tras él cómo lo hacemos nosotros.

Esto es actuar con convicción. Es una manera de actuar convencidos de que estamos en el camino correcto. Es una forma de trabajar con entusiasmo y energía, de tal manera que se acumula y alcanza para que también se activen los que nos rodean. Por lo tanto, tener visión y actuar con convicción resulta ser una buena idea y de gran utilidad si queremos que otros se muevan a nuestro ritmo para crecer todos.

21. El Hacedor fortalece y entrena a su equipo

Fortalecer y entrenar a los miembros del equipo es fundamental para el avance. Es mejor y mucho mas rápido que 40 máquinas jalen a 10 vagones que una sola máquina jale a 49 vagones. El entrenar al equipo que obtenga las habilidades técnicas y el conocimiento táctico mejora el rendimiento del equipo. Para ser efectivo, el entrenamiento se debe llevar a cabo con las herramientas y materiales adecuados. No obstante, en estos entranamientos se puede hablar de acciones de rotación de cargos.

Es fundamental que el Hacedor tenga la habilidad de inspirar al equipo para que lo fortalezca. A todos nos encanta escuchar un discurso que conmueva, que nos levante y nos impulse a continuar.

22. El Hacedor da lo mejor en cada situación

Esta es la última parte de este capítulo del hacer. Hemos estado hablando de un nivel de liderazgo donde debemos hacer las cosas con convicción, enfoque, dedicación y mucho entusiasmo. No encuentro un mejor ejemplo que el de uno de los más grandes boxeadores que México ha producido, Julio César Chávez. Un gran boxeador que a la hora de salir a pelear, estaba convencido de que lograría su objetivo, de tal grado que contagiaba al público. Su convicción se le notaba en la mirada y en su forma de imponerse frente al rival. Recuerdo muy bien una pelea que parecía que perdería frente a Taylor. Pasaron once rounds y Julio no había descifrado al rival. Había perdido casi todos los rounds. Por lo tanto, si llegaba al final de los 12 episodios, la pelea sería del contrincante y hubiera significado su primera derrota.

Llegó el minuto de descanso para salir al último *round*, la última oportunidad de Chávez para mantenerse invicto con todo en su contra. El público todavía lo apoyaba. Sonó la campana y salió como un león a buscar a su presa. Y aunque aún no había descubierto cuál era el punto débil del enemigo, lo que hizo fue dar lo mejor de sí. Esperó el momento justo para tirar su mejor golpe, con toda la fuerza que le quedaba, dispuesto a morir en el intento de derribarlo. Y así fue, su golpe llegó directo a la mandíbula de Taylor, quien no pudo sostenerse por más de un segundo en pie y cayó noqueado. El réferi comenzó el conteo, 1... 2... 3... 4... Chávez en la esquina lo miraba fijamente, esperando que se levantara para nuevamente lanzarse sobre sobre él. 5... 6... 7... Faltaban tres segundos para el nocaut, y Chávez se sentía cerca de la victoria, pero aún no bajaba la guardia; seguía preparado para recibir el embate final. 8... 9... y 10. Taylor no resistió lo mejor de Julio César Chávez.

Así tenemos que actuar toda la vida, dando lo mejor de nosotros en cada situación, no dejando que nada nos derribe sin antes dar nuestro mejor golpe. Busquemos siempre un respiro, un motivo, y luego salgamos como un león tras el objetivo y hagamos de nuestro mejor esfuerzo el arma más grande para triunfar en lo que nos proponemos.

Capítulo ONCE

Confrontar la realidad

Ya te he contado que cuando comenzamos a expandir la organización, se hicieron presentes los celos, los ataques y las intrigas. Esto lo podemos explicar así: Cuando un Hacedor tiene un aprendiz que se convierte en un Hacedor, y este último comienza a también tener resultados, los celos pueden surgir. De la misma manera, sucede cuando un Hacedor inmediatamente comienza a aportar ideas. Al supuesto líder que organiza al grupo le pueden dar celos. Si la persona que organiza el grupo no entiende la naturaleza de su aprendiz al desear igualar a su guía, entonces comenzará a rechazar esas ideas, a criticarlas y a tirotearlas.

Tengo memorias del momento en que comenzamos a mostrar resultados. Los líderes ascendentes comenzaron a criticarnos desde el escenario. La organización a la que pertenecíamos estaba estancada y con riesgos de desaparecer. Nos pusieron trabas. Nos cambiaban las estrategias y nos asignaban a trabajar en lugares donde ellos habían echado a perder las cosas. Cuando mostrábamos resultados, frecuentemente buscaban el lado negativo en lugar de felicitarnos por lo positivo. Llegó el momento en que tuvimos que confrontar nuestra realidad. Es difícil crecer cuando la persona que supuestamente está organizando todo no puede aceptar tus aptitudes y lo que aportas. Esta es la razón por la cual escribo acerca de este tema: Orquestar.

En el fútbol, el individuo primero aprende a jugar para después poner en práctica lo que aprendió. Eventualmente, el jugador que se sacrifique más, rinda más y se desgaste más que el resto, y que a la vez tenga buena actitud, se va a ganar el respeto y admiración de los demás jugadores, a tal grado que lo van a distinguir con el título de capitán. Es allí cuando el resto del equipo le permite que los dirija y se le nombra capitán del equipo. Al ser nombrado capitán del equipo y estar jugando el juego él mismo, pone el ejemplo y desea que otros jueguen a su mismo nivel.

Si un jugador aspira a ser capitán, debe tener este tipo de actitud: Esforzarse al máximo y entrenar a otros para que ejecuten las cosas mostrando resultados. Llegará el día en que aquellas personas a las cuales inspiró con sus resultados y también dio entrenamiento, lo respetarán y le otorgarán el título de Orquestador. Es fundamental entender que el propósito de un Hacedor es entrenar a otros que también ejecutan las cosas como él.

Un buen Orquestador sabe que la única manera de lograr cosas grandiosas es a través de su esfuerzo, sumado al esfuerzo de otros. A esto se le llama esfuerzo compartido. Si aspiras a ser capitán, es fundamental dar lo mejor de ti mismo y guiarte con cada uno de los puntos que mencioné anteriormente en el segundo nivel de liderazgo.

Capítulo DOCE

Nivel 3 - El orquestar

Hemos llegado a uno de los niveles más altos del liderazgo. Este es un nivel crítico donde tendrás que emplear lo que aprendiste en los niveles de aprender y hacer. Empezaremos por analizar qué significa orquestar. El mejor ejemplo y el más simple, es el que se da en una orquesta musical. Piensa en el director, que no llegó a ser director solo porque alguien lo asignó. Claro que no. Tuvo que recorrer un largo camino para llegar a ese lugar. Primero, necesitó aprender música; luego aprender un primer instrumento, luego otro y otro más, y una vez aprendidos, debe dominarlos. Tuvo que convertirse en un experto y ocupar un sitio en la orquesta como parte del equipo mientras otro dirigía. Esa es la única forma de lograr llegar hasta el puesto de director de una orquesta. Se supone que nadie sabe más que él en ese equipo, pero sin los músicos expertos en diferentes instrumentos, nada funcionaría.

Cuando él levanta la batuta, necesita que los demás entiendan perfectamente sus señales para lograr la armonía y la belleza. Ha aprendido de todos los instrumentos lo suficiente para saber cuál es el que está desafinando, quién no está en el ritmo, y quién—siendo un músico de calidad—no está en sintonía con el resto de la orquesta.

El líder Orquestador ha pasado por todos los niveles. Sabe muy bien cómo se toca cada una de las melodías y los diferentes instrumentos, y por lo tanto, puede dirigir a otros, aprovechando esa experiencia y aprendizaje por el cual él mismo ya pasó. Lo más seguro es que haya sido un músico sobresaliente que le dio el empoderamiento para después hacerse escuchar por otros. El dominio que ha demostrado lo llevó a ser un líder que aprendió, realizó y hoy dirige.

El líder Orquestador sabe que este lugar no solo es privilegiado, sino que trae consigo una gran responsabilidad. Ha dado el gran salto de Hacedor a Orquestador, y ahora muchos hacedores dependerán de su buena dirección. Ahora tendrá que orientarlos y guiarlos hacia el éxito. Ahora tiene un equipo que estará pendiente de sus directivas y dispuestos a seguirlo en el camino porque confían en él. Su visión es ahora la de su equipo y ellos saben que él sabe muy bien a dónde quiere llegar. Él tiene que conocer cada uno de los elementos de su equipo, para ubicarlos a cada uno en el lugar indicado y aprovechar sus virtudes, para que así la maquinaria y su engranaje funcionen bien y lleguen juntos a la meta.

Recuerda que orquestar no es un título, sino un verbo. Es un nivel de liderazgo que surgió mientras estabas en el segundo nivel. Las personas con quien trabajabas ahora te permiten que conduzcas sus esfuerzos. Ellos saben también que juntos se logran más cosas que trabajar en solitario. Por lo tanto, ellos quieren ver que eres parte del esfuerzo que se va implementar.

El orquestar tiene una serie de enemigos que podrían presentarse como los mayores obstáculos del proceso.

1.- El temor del Orquestador es ser desplazado por un Hacedor que el equipo reconozca como líder.

2.- Cuando el Orquestador se adjudica los logros del equipo.

3.- La falta de resultados del líder Orquestador.

4.- El no reconocer que cada persona que forma parte de tu equipo es un eslabón de la cadena de servicio, lo cual permitirá que tu organización se mueva a mayores niveles.

Los Orquestadores son líderes que saben que los triunfos vienen del trabajo en equipo y saben también que todo liderazgo es temporal. Conforme el tiempo transcurre, su liderazgo se va desgastando y otros lo quieren igualar. Por lo tanto, debe encargarse de preparar a alguien en su equipo que considere que posee las herramientas y el talento para sucederlo en el escaño.

El Orquestador nunca se adjudicará el triunfo. Esto sería un error muy difícil de superar. Su equipo perderá la confianza en él y sin confianza, no hay un líder. Lo primero que va a pasar es que se enfadarán por saber que les ha robado crédito, aunque pueden reconocer que él es el Orquestador y tal vez hasta el generador de las ideas y proyectos. Sin embargo, al fin y al cabo, los hacedores son quienes ejecutan las acciones, y sin ellos, las ideas no podrían llevarse a cabo. Sin ellos, nada de lo que él haga será suficiente para triunfar. Por eso, siempre se debe transferir el triunfo a los miembros del equipo. Eso hará que, de hecho, reconozcan a su líder y siempre quieran dar todo por triunfar con él.

El hecho de que tengas personas que ya no dependen de ti para obtener resultados es reconfortante, pero el líder Orquestador nunca debe olvidar que los resultados no son suyos al cien por ciento. Los resultados son el esfuerzo conjunto de todos.

Cuando formamos un equipo, hay que tener en claro que hay que obtener resultados. Las personas no siguen a quien no obtiene resultados. Cuando un líder añade su esfuerzo al esfuerzo de otros, los resultados se multiplican. Este negocio depende mucho de entender el esfuerzo colectivo y no el de unas cuantas personas. Se trata de trabajo colectivo para que cada parte contribuya a un fin superior.

Cuando estás obteniendo los resultados, tú no eres la única persona involucrada en poner el esfuerzo. Un líder Orquestador debe ver el liderazgo como un «engranaje». Ver el liderazgo de esa manera es entender que cada integrante de tu equipo es como una rueda dentada. Esos dientes son para empujar a la próxima rueda. Un ejemplo sencillo es el tren. Lo que hace que un tren se desplace a gran velocidad es la cantidad de ruedas con engranajes que contiene. Mientras más personas trabajan en un equipo, más rápido es el crecimiento.

Tú eres el capitán de la organización que conduces hacia la realización de sus metas. Toma tiempo para identificar el grupo en el cual te apoyarás, para que logren sus propósitos en las diferentes etapas del plan de acción. Este equipo debe estar formado por gente que no solo desee las cosas, sino que cuente con las aptitudes y habilidades necesarias y también haga lo que le corresponda hacer.

¿Qué es orquestar? Es dirigir, organizar y provocar los resultados a través del esfuerzo colectivo. La interdependencia es fundamental. Es decir, todos necesitan de todos. Se necesita el liderazgo de los aprendices y de los hacedores. Todo esfuerzo necesita ser conducido. Allí es precisamente donde entra en juego el liderazgo del Orquestador que no tiene miedo de trabajar con el equipo, porque entiende que esta es la única manera de crecer de manera constante. Esta etapa de liderazgo trata específicamente con la habilidad del líder para aumentar los resultados a través del esfuerzo personal y el de otros. El líder Orquestador tiene innumerables características, pero estas son las más importantes. Los Orquestadores saben que los resultados vienen a través del esfuerzo combinado de él y de otros.

Al igual que con el paso previo de ser un Hacedor, para ahora convertirse en un Orquestador se requiere cierto estado mental, cierta actitud o modo de pensar. Sin un estado mental correcto o sin el entendimiento de las cosas en las cuales este nivel está basado, un líder va a tener problemas si implementa acciones incorrectas de liderazgo. Esto es porque el liderazgo mismo es un estado mental, es un modo de ver las cosas. Los Orquestadores, a través de las experiencias y retos que vencieron durante las etapas de Aprender y Hacer, anticipan cosas que los principiantes no ven y a su vez, ven las cosas de una manera diferente de aquél que apenas está aprendiendo o haciendo. Por lo tanto, un Orquestador no solo va a prever los retos que enfrentará el equipo, sino que también prevé como unir los esfuerzos de los demás para que puedan vencer los obstáculos y avanzar juntos de manera eficiente.

Los Orquestadores eficaces basan su liderazgo en un estado mental, en una forma de pensar, en una actitud donde aceptan una serie de responsabilidades. Por lo tanto, un líder de este Nivel 3 que está listo para Orquestar acepta las siguientes responsabilidades:

1. El Orquestador sabe que la calidad de la comunicación es importante

Recuerda que nadie puede leer tu mente. Si fueras un arquitecto, ¿construirías un edificio sin comunicarle tus planes a los obreros? A veces creemos que la gente esté pensando lo mismo que nosotros y damos por hecho que no es necesario decirlo, o creemos que basta con que lo mencionemos brevemente para que lo que digamos sea escuchado y atendido. Estamos pensando que oír es lo mismo que escuchar y creemos que la gente es adivina. Creemos que los hacedores ya saben lo que tienen que hacer, tan solo porque nosotros lo sabemos. Pensar así es estar en el rumbo equivocado.

Las ideas y los proyectos que los líderes Orquestadores crean para el negocio deben ser comunicados con suficiente claridad para asegurar que todos y cada uno de los integrantes del equipo las entienda al cien por ciento. La comunicación siempre debe ir acompañada de un porqué de las acciones y no solo la acción por sí misma. Cada vez que enviemos información, debemos acompañarla de una explicación. Ten mucho cuidado con esto, por favor: Nunca pienses que por ser el líder, no debes darle explicación alguna a nadie. Es todo lo contrario; ahora más que nunca debes reafirmar todo con una explicación concisa de cada uno de los movimientos y estrategias que ordenas.

Recuerda que ahora estás en el ojo del huracán y todo lo que digas o hagas de forma poco clara dejará espacios para que las personas que te siguen te cuestionen. Y no todo acabará en el cuestionamiento, sino que también acarreará desconfianza de los demás integrantes. Por el contrario, si tú fuiste claro en tu comunicación, estás garantizando que tu equipo sepa perfectamente el camino que le estás proponiendo y que ese camino no es ninguna trampa, ningún experimento y que no están siguiéndote como borregos; más bien provocarás que comulguen con tu idea y te sigan convencidos de lo que están realizando.

Recuerda: La comunicación clara, concisa, transparente y honesta es la fórmula para que en lugar de que te oigan, te escuchen. Es la mejor manera de transmitir tu estrategia de forma exitosa.

2. El Orquestador sabe la importancia de conectarse con los miembros del equipo

Una vez que has logrado que tu equipo te escuche, tienes que dar un paso fundamental que se llama «conectar con tu equipo». Esto significa que lo que escuchan de ti, ahora también lo sienten con el entusiasmo con que tú lo expresaste. En pocas palabras, debes ser capaz de contagiarles tu pasión por el proyecto. Recuerda que *tener pasión es tener un propósito*. Con esto lograrás que el compromiso sea mayor, pues se estarán comprometiendo no contigo, sino con ellos mismos y con el proyecto. Se verán reflejados en ti y sentirán que no solo van por el mismo camino, sino que van en la misma embarcación con un propósito en común.

Esto es indispensable para que tu equipo sienta que estás con ellos y que no solo les enseñas por dónde ir, sino que además caminas junto a ellos. Recuerda que muchos de los integrantes de tu equipo están dedicando tiempo, esfuerzo y hasta patrimonio para seguirte en el proyecto y lo menos que les debemos es el hacerles sentir que eso vale la pena. Después de todo, desde que inicia la relación con ellos ya tenemos

Tener pasión es tener un propósito.

algo en común: los deseos de cumplir nuestros sueños. Hazles saber, entonces, que también compartes su esfuerzo.

Quien tenga el tino (acertar) de contagiar a otro su entusiasmo y pasión puede lograr tal conexión que, sin duda, formará parte de los mismos sueños.

3. El Orquestador sabe y reconoce que los resultados vienen a través del esfuerzo colectivo

Para un Hacedor que día a día sale a entregarse en cuerpo y alma en busca de sus sueños, es muy importante que el líder Orquestador le brinde unas palmas a su esfuerzo. Ya habíamos tocado el tema de no adjudicarnos el logro del equipo. Es decir, los líderes Orquestadores no debemos adjudicarnos el logro de ningún miembro de nuestro equipo. Por el contrario, el Orquestador está para reconocer el esfuerzo constante de los miembros de su equipo, conforme vayan alcanzando logros, por más pequeños que sean. Esto les dará certidumbre de que el esfuerzo ha valido la pena, porque les estás mostrando que van por el camino correcto. Es una gran estrategia para quienes están realizando logros constantes y que tienen el potencial para llegar aún más lejos. Y para quienes les cuesta más trabajo, es aún más importante. Lo que estamos haciendo es darles un respiro en el camino, para que encuentren un área de descanso donde podrán recargarse de energía para continuar la marcha nuevamente.

Imagina a un ciclista en el «Tour de Francia», la competencia de ciclismo más reconocida en el mundo y una de las más extenuantes, donde los ciclistas tienen que recorrer más de 3.500 km. Se realiza en 21 etapas durante tres semanas. Cada etapa tiene un líder, al cual se le reconoce porque lleva un suéter amarillo y se realiza una premiación por cada etapa. Para ellos, este es el aliento para seguir adelante. De esa misma manera, nosotros debemos reconocer el esfuerzo de nuestro equipo por cada etapa terminada y por cada logro realizado, para que tengan esa inyección de ánimo para seguir adelante.

Lo mejor de todo es que al reconocer los logros del equipo, no necesitas hacer nada para que se reconozcan los tuyos, pues el logro de ellos es automáticamente el tuyo. Esto es porque la responsabilidad del buen funcionamiento del equipo es totalmente del líder Orquestador.

4. El líder Orquestador entiende que liderar es un proceso

El líder no nace, se hace. Esto es algo de lo que me he convencido a lo largo de estos años de experiencia liderando equipos. Y también aprendí que poner el ejemplo no es la mejor forma de liderar; es la única. Es decir, para ser un gran Orquestador, primero se deben aprender las cosas básicas y las más difíciles, y luego ejecutarlas todas. Esto es lo que significa ser un Hacedor y cuando dominas el arte del hacer, puedes pasar al siguiente nivel de orquestar. Así funciona y *seguramente habrá muchos momentos en los cuales deberás pasar por algún momento del rol de Orquestador al de Hacedor para dar el ejemplo*; por eso siempre debes estar listo para poner tus manos a la obra y trabajar con quien esté en el primer o segundo nivel. De esa forma, tu equipo podrá seguir tus pasos, confiar en ti y emular tus acciones. Así llegarán a la meta.

Aquí también hay una gran responsabilidad del líder Orquestador, debido a que es el responsable directo del éxito o fracaso del equipo. El líder Orquestador debe ser capaz de identificar las fallas del equipo. Hay ocasiones en las cuales hay miembros de un equipo que tienen mala actitud y contagian al resto. Aquí hay un ejemplo: En las escuelas se dice que no hay alumnos malos, lo que hay es profesores malos. Yo te aseguro que no es así. Estoy convencido de que sí puede haber alumnos malos, que a pesar del esfuerzo del profesor por guiarlos en su aprendizaje, rechazan toda ayuda y no permiten una influencia positiva. A ese alumno debes darle una mala nota y asegurarte de que lo entienda, para que asuma su responsabilidad y sus fallas. Qué decir de un equipo de fútbol que

> **Habrá instancias en las cuales deberemos pasar del rol de Orquestador al de Hacedor, para dar el ejemplo.**

tiene un gran entrenador, pero uno o varios elementos del equipo titular no están dispuestos a dar lo que se requiere en la cancha para triunfar, y a pesar del esfuerzo del entrenador por guiarlos, ellos se reúsan—por el motivo que sea—a seguir el camino triunfador. Ese es el momento cuando el entrenador debe tomar la decisión de cambiar a esos jugadores por otros que sí estén dispuestos a entregar lo que se debe para cumplir el sueño del equipo, que al final será el sueño individual cumplido.

Por lo tanto, ser Orquestador requiere que realices procesos y hagas seguimiento de los mismos con los miembros del equipo que lideras, para garantizar que las cosas sucedan como está planeado. Recordemos que no hay equipos perfectos. En algunos equipos, hay manzanas podridas y a esas hay que sacarlas porque te echan a perder el resto. El mejor ejemplo lo tenemos con Judas Iscariote, uno de los doce apóstoles de Jesús de Nazaret. Judas siguió a su maestro durante su prédica y tendía a quejarse mucho, llegando al grado de traicionarlo.

5. El líder Orquestador tiene visión y un plan de acción

No existe ninguna fórmula mágica que nos lleve a la cima, de la noche a la mañana. Esto es algo que debemos tener presente siempre. *El éxito es el destino al que nos conduce el camino que forjamos cuando soñamos.* Un sendero que hay que recorrer completamente, sin atajos y a paso firme, pero siempre con la visión firme en esa meta que es nuestro destino. Con esto quiero decirte que debes tener un plan de acción a largo plazo y que dentro de tus herramientas debes contar con una virtud indispensable que se llama paciencia.

Cuando las cosas no se dan como tú lo deseas, no debes desesperarte ni mucho menos alejarte de tu equipo, pues es justo el momento cuando más te necesitan. Deberás recorrer el camino que todos recorremos.

Ese camino en el que intentas librar obstáculos una y otra vez hasta que las cosas sucedan. Esto se convierte en una prueba que enseña más que cualquier maestro. Si te desesperas, vas a desistir y la impaciencia puede apresarte. Al carecer de esa paciencia tan necesaria para con tu propio equipo, eso puede llevarte a exigirles más de lo que puedan dar.

> **El éxito es el destino al que nos conduce el camino que forjamos cuando soñamos.**

Recuerda que cuando las cosas no se dan como tú quieres, ese es el momento de transmitir la visión y reconstruir el plan de acción. Eso te traerá calma para volver a intentarlo.

El plan de acción debe tenerse con anticipación. No debe improvisarse en el momento y mucho menos, presentarte ante tus hacedores desesperado y sin un plan de acción. No sirve de nada reunir al equipo y cuestionarlo o criticarlo. No te hará nada bien presentarte ante el equipo y preguntarle a ellos lo que van a hacer. Por eso eres el Orquestador. Tienes que tener todo perfectamente planificado, incluso desde tener una agenda lista para ellos y un orden del día con todo lo que van a tratar durante ese día de trabajo. Si no lo haces de esta forma organizada, tus hacedores tendrán serias dudas en cuanto a tu persona e integridad de trabajo. Además debes mostrar respeto por su disposición de estar contigo. Ellos sabrán que con tu liderazgo inteligente, están aprovechando al máximo su tiempo y que saldrán de esa reunión fortalecidos en ideas y listos para dar todo su empeño.

6. El líder Orquestador tiene la capacidad de influir e inspirar a los individuos para que ejecuten

Inspirar es la capacidad que una persona tiene de determinar o alterar la forma de pensar o de actuar de otras personas. Influenciar es hacer que otras personas participen colectivamente en algo. Las personas no pueden ser obligadas a participar. Todo lo contrario; las personas deben ser inspiradas y eventualmente se permitirán ser influidas por el líder. La gente se entrega más a una causa, a un ideal, que a un individuo. Si el líder no muestra con su comportamiento, tanto inspirador como verdadero, que hay un ideal involucrado en el trabajo conjunto del equipo, entonces la gente no seguirá sus instrucciones.

Una de las responsabilidades de un Orquestador es inspirar a otros a ejecutar y a lograr resultados. La gente sigue a un líder que los inspira lo suficiente a través de su ideal para alcanzar el objetivo. El Orquestador sabe que depende mucho de su habilidad de inspirar para atraer y retener gente buena y organizarlos para trabajar juntos como equipo. Es precisamente así cómo un líder aumenta su influencia, inspirando a la gente a trabajar en la misma dirección.

Una vieja fábula cuenta acerca de un granjero cuyas mulas ayudaron a un hombre a sacar un tráiler atascado en una zanja. Era un tráiler grande con un camarote, según su descripción en la fábula. Mientras jalaban las mulas el trailero preguntó:

> **El liderazgo solo procede de la influencia y no es algo que pueda imponerse. Tu sabiduría consiste en que se dé de forma natural entre tu gente.**

—¿Cuánto puede jalar una de estas mulas?

—Cada una jala diez toneladas —respondió el granjero.

—Pero mi tráiler pesa, por lo menos, tres veces eso —exclamó el chofer del tráiler.

—No importa lo que puedan jalar por separado —contestó el granjero—; lo que importa es lo que pueden jalar juntas.

Ese es el poder de un equipo. Los buenos Orquestadores inspiran e influyen a la gente a trabajar juntos y a convertirse en una sola entidad, y por lo tanto, amplifican los esfuerzos, dando como resultado que un entero sea mayor que las fracciones. Señoras y señores: *El liderazgo solo procede de la influencia y no es algo que pueda imponerse. Tu sabiduría consiste en que se dé de forma natural entre tu gente.*

7. El líder Orquestador infunde confianza en su equipo para ganarse el respeto

Desde luego que la confianza entre dos individuos fomenta el buen trabajo en equipo. Ganarse la confianza mutua no es algo que sucede por arte de magia. Hay que trabajar desde el principio en una relación basada en el respeto. Recuerda que ser respetuoso no tiene que ver con no tener confianza. Existen líneas que no deben cruzarse en ambos lados y que favorecerán un ambiente de trabajo sano y sin fricciones.

Debemos entender que los líderes Orquestadores tarde o temprano tendrán más de una persona a quien liderar, y que la relación con cada uno de ellos deberá ser cercana, o como lo mencionamos anteriormente, de conexión. Sin embargo, esto no quiere decir que la conexión o cercanía va a permitir que nos faltemos al respeto. El Orquestador deberá mantener un trato cortés y familiar con los miembros del equipo, sin que esto conlleve a rebasar líneas que pongan en riesgo la relación.

Permíteme darte un ejemplo de lo que he visto en varios equipos que fracasan y que me ayudará a explicarte mejor lo que deseo expresar. En uno de esos equipos, vi que el líder Orquestador trataba a sus hacedores llamándolos no por su nombre, sino con sobrenombres que él creía que eran graciosos, estando seguro que le daban cercanía con ellos. Nunca se dio cuenta que a muchos de ellos no les gustaba el sobrenombre que les había puesto. Esto hacía que no se acercarán mucho a él, ni siquiera para pedirle un consejo y menos su ayuda, pues sabían que se exponían a que los llamara por el sobrenombre o peor aún, que el sobrenombre se convirtiera incluso en algo más ofensivo.

Un día, alguien se refirió a él con un sobrenombre que no le gustó para nada. Cuando él trató de reclamar y pedir respeto, su Hacedor le dijo: «A mí tampoco me gusta mi sobrenombre y me he aguantado por meses que me lo digas. Hoy se me ocurrió que nosotros también podríamos hacerlo». Las cosas no terminaron para nada bien. El Hacedor, que por cierto era un elemento muy productivo y por lo tanto muy valioso en el equipo, decidió cambiar de rumbo; abandonó al Orquestador y eventualmente desistió de continuar trabajando.

Así es. Perdió a un elemento valioso, pero no solo eso; el equipo en realidad no funcionaba bien, pues al contrario de lo que él creía, había mucho distanciamiento entre su equipo y él. Esto, lejos de provocar un ambiente de confianza, lastimó la relación y terminó disolviendo al equipo. El Orquestador fracasó. Se quedó sin equipo, y sin un equipo, él ya no era más un Orquestador.

Entonces, aprendimos de este ejemplo que no vale la pena rebasar esa línea del respeto ni confundir la confianza con «confiancitas» para ninguno de los dos lados. Ser Orquestador significa ser a un líder, no un amo que pueda disponer de los demás, de sus sentimientos y su personalidad. Hay que tratar a nuestros hacedores con respeto y confianza para generar lo mismo: respeto y confianza.

8. El líder Orquestador resuelve problemas

Los líderes de los niveles «aprender y hacer» a los cuales tú, como Orquestador, los estás guiando, se enfrentan a problemas que aún no saben cómo resolver y se acercarán a ti, especialmente cuando las cosas no van tan bien como quisieran. Ese es un buen momento para acercarse a ellos. Esto hará que no se desesperen. Si los socios se desesperan por no poder resolver cualquier problema, se pueden perder elementos. Es por eso que debemos ser sensibles para detectar quién requiere de nuestra ayuda, de nuestra guía y visión. Se supone que un líder Orquestador ya pasó por algunas experiencias que pueden aportar a la conducta del equipo. Si los miembros del equipo acumulan una serie de problemas que no se resuelven, eso los puede alejar de la causa. Es más, debemos estar pendientes de los conflictos y problemas que se puedan generar entre los líderes. Y tú sabes muy bien que todos podemos cometer errores y que ese es justo el momento en el cual necesitamos la guía y confianza de alguien más.

Así que es importante que estés preparado para cuando ellos te necesiten y puede ser en cualquier momento. Debes dotarte de las herramientas necesarias para lograrlo. Cuantas más herramientas poseas, más fácil y productiva será tu intervención. Entre las herramientas que necesitas—además de tu experiencia—está leer muchos libros y escuchar muchos audios que refuercen esa experiencia y que te orienten, para que tú a la vez pases esa orientación y conocimiento a tu equipo.

9. El Orquestador sabe que la intuición de un líder es un factor determinante

En mis charlas, suelo compartir con la audiencia que cuando es época de cacería, salgo al campo con mis mejores rifles y a veces me camuflo, y aun así, ningún venado se presenta. ¿Por qué? Es muy sencillo. Cuando a un animal se le quiere hacer daño, lo percibe. El ser humano tiene la misma facultad de percibir si lo que escucha o ve es bueno o malo. Ahora quiero preguntarte, ¿crees que la intuición puede ser un factor determinante en el desarrollo de un Orquestador? Reflexiona unos minutos antes de seguir leyendo... ¡acertaste! La intuición puede ser un factor muy determinante para un Orquestador, especialmente en el momento de desarrollar a un Hacedor e incorporarlo al equipo. A esto lo llamo tener un olfato de cazador. Durante nuestro desarrollo como Orquestadores, esto nos pasará una y otra vez; al estar frente a alguien que desde que lo vemos y analizamos—sus palabras, sus gestos, su lenguaje corporal— sentimos una sensación de estar frente a alguien con quien vamos a trabajar muy bien. Nuestro olfato entra en acción, y como sabuesos, comenzamos a olfatear de un lado a otro, buscando las señales que nos indiquen si estamos frente a un elemento valioso, frente a un posible Hacedor clave que queramos en el equipo.

Sin embargo, el olfato también nos indica lo contrario cuando estamos con la persona menos indicada. Esto debemos tomarlo en cuenta, pues puede evitar introducir alguien al equipo que no aportará nada y que, al contrario, obstaculizará el avance. Aquí debe funcionar nuestra intuición y si le prestamos atención, estaremos alejando a esa persona de toda posibilidad de entrar a nuestro equipo. ¿Te suena duro? Sí, porque lo es. Sin embargo, es una decisión que debemos hacer si es que queremos llegar a la meta por el buen camino, sin problemas ni obstáculos. Solo debemos pensar que esa persona que estás alejando no es el tipo de Hacedor que necesitas y lo más seguro es que él y ella tampoco nos necesite a nosotros.

> **La intuición no viene sola; está complementada por la experiencia y por los conocimientos previos almacenados en nuestra mente.**

Olfatea, percibe las señales de peligro que tu intuición te está indicando. *La intuición no viene sola; está complementada por la experiencia, por los conocimientos previos que están guardados en nuestra mente.* Por tal motivo, debemos tomarla en cuenta, pues en ocasiones no tenemos plena conciencia de lo que está sucediendo. Sin embargo, nuestro subconsciente está equipado con información colectiva; está nutriendo al olfato y transmitiéndole la información al lado consciente para tomar la decisión.

¿Te das cuenta? La intuición es una herramienta y no es cuestión de suerte, sino de experiencia sumada a la inteligencia que te ayuda a tomar mejores decisiones. Escucha a tu intuición.

10. El líder Orquestador sabe que los mejores hacen equipo con los mejores

Así es. Debemos tener la actitud para que los hacedores positivos, creativos, entusiastas, trabajadores, y emprendedores trabajen juntos. Ese es el equipo que necesitamos formar desde el principio. Esto nos va a facilitar ponerle el ritmo que necesitamos al trabajo para triunfar todos como equipo.

Elegir a un Hacedor que no tiene estas características y a quien le confiamos una tarea puede obstaculizar los resultados que esperábamos. Yo diría que la labor de gran relevancia para el Orquestador es el momento en el que elegimos al equipo. Recuerda los tiempos de la escuela, cuando en un volado, escogíamos primero a los integrantes del equipo de fútbol durante el recreo y de eso dependía si ganábamos o perdíamos el partido. Pero ahora tenemos una ventaja; no hay volado. Tenemos gente alrededor con ganas de trabajar y producir, y se han acercado a nosotros para entrar en el equipo porque que esperan algo bueno suceda. Esta es justo la oportunidad que tenemos para reclutar a los «buenos» y desarrollarlos.

De esto dependerá el buen desempeño de tus hacedores y que entre ellos se impulsen para alcanzar las metas y no se obstaculicen unos con otros; por eso debes procurar elegir bien. De lo contrario, encontrarás que la orquesta no está bien afinada y notarás que emite notas sin armonía porque alguien está en otro ritmo o desafinado. *Imagina que contratas a los mejores violinistas para tu orquesta, pero uno de ellos no era el adecuado para la sinfónica. Es un elemento que no tiene el mismo nivel que los demás y por lo tanto, echará a perder el concierto.* Imagina que estás escuchando cómo tocan y alguien está fuera de ritmo. Eso no es lo grave; lo peor es que está sacando de ritmo y arruinando la concentración de los otros violinistas y el resto de la orquesta. Vas a recibir los reclamos de los demás violinistas, de los del chelo, trompeta y del público, porque no elegiste a alguien con la habilidad necesaria para dar un buen concierto.

Desde luego, esto te ocurrirá en diferentes ocasiones. Sin embargo, al leer este libro, estás aprendiendo que debes tener en cuenta lo que te digo y ser más cauteloso al reclutar a tus hacedores. Recuerda siempre que debes elegir muy bien en qué momento un aprendiz está listo para ser un Hacedor para no mezclarlos. Esto solo provocará que el aprendiz obstaculice al Hacedor. Si eliges bien el momento, ahorrarás tiempo en correcciones de errores que se pueden prevenir.

> **No es lo mismo que una máquina jale a cien vagones que treinta máquinas jalen a setenta vagones.**

Este libro te ha mostrado las características de los hacedores. Tú fuiste uno de ellos o lo serás en algún momento. Por lo tanto, conoce las cualidades que hay que desarrollar para llegar a ser un Hacedor. No debe ser difícil identificar cuáles de los socios tienen esas cualidades o a quién se las puedes desarrollar. Incluso, quién tiene más potencial que otros. Una buena práctica de este punto te llevará por el camino correcto para que logres tus metas.

11. El líder Orquestador entiende la importancia de enseñar a entrenar a los hacedores

Es lamentable cuando un Hacedor asocia a una persona y no sabe qué hacer con ella. La mayoría de la gente pensaría que transmitir conocimientos, preparar y entrenar a alguien más para hacer su trabajo es una locura. No los vamos a culpar ni a contradecir; mejor entendamos lo siguiente: Un empleado que trabaja toda la vida para ascender a la gerencia de una empresa sabe que al entrenar a los de abajo, corre el riesgo de que su pupilo a la postre se quede con su trabajo y él sea remplazado. Es por eso que tiene ese recelo por sus sucesores y hasta a veces piensa: «*Que le cueste trabajo como a mí*». Aunque entendamos su punto de vista, te quiero decir que en este negocio diseñado para emprendedores, no se puede aplicar la misma lógica.

Permíteme ampliar este punto. Al contrario de los empleados que llegan a una gerencia o dirección y luego son remplazados por alguien más joven y con ideas más novedosas, en esta industria es diferente. En este negocio, entre más personas desarrollas como tú, más vas a ganar. No es lo mismo trabajar para alguien que trabajar para ti mismo. Es decir, no es lo mismo ser empleado que emprendedor. En otras palabras, ser dueño de tu propio negocio. Aquí vas a posicionarte en el tercer nivel de liderazgo, según tus resultados y aptitudes. Nadie te va a elegir. Hay que entender que en este nivel, se trata de expandir tu liderazgo vertical y horizontalmente. Obviamente, cuanto más crece tu red—ya sea vertical u horizontalmente—más ganas. Cuando estás en la industria de venta directa, no es lo mismo tener un grupo que una organización. Si quieres tener un solo grupo, dedícate a una o dos líneas. Si quieres una organización, necesitas desplazarte de forma organizada para que desarrolles organizaciones nuevas y puedas expandir tu liderazgo. Cuando alguien de tu grupo está surgiendo como líder y sientes que está haciendo muy bien las cosas, apóyalo, enséñale a entrenar sin miedo alguno y bríndale tu experiencia. Transmítele todo tu conocimiento y sobre todo, déjalo aportar sus ideas frescas. Casi puedo ver tu cara de asombro y estarás diciendo: «Pero eso hará que me reemplace». ¡Por supuesto!

Tienes toda la razón. Lo que trato de decirte es que *no es lo mismo que una máquina jale a cien vagones que treinta máquinas jalen a setenta vagones.* Cuanto más líderes del tercer nivel tengas, más rápido y ligero será el viaje. En este negocio, *si llegas a entrenar a tu reemplazo, lo único que estás logrando es que alguien pueda hacer lo que tú hacías, para que puedas subir de nivel y dejar de ser un Orquestador de hacedores y convertirte en un Orquestador de Orquestadores.* ¿Te das cuenta? No te reemplazó para mandarte al retiro; te reemplazó para que tú puedas ascender un escalón más. No te quitó ninguna función; te aligeró la carga para que tú te dediques a otras cosas. Al fin y al cabo, ellos están en tu equipo produciendo para tu organización, al mismo tiempo que producen cada día más para ellos mismos. Recuerda: Guía al líder emergente para que tenga la capacidad de reemplazarte como «oficial de puente» y así tú puedas dedicarte a dirigir la embarcación como «capitán».

Pon atención a estos importantes puntos:

1. No debes tener miedo de enseñarle a otros a entrenar. Es en tu propio beneficio.

2. No desalientes al que quiere aprender de ti; aprende tú de él.

3.No envidies al que hace las cosas mejor que tú; hazlo tu aliado, mantenlo cerca, puesto que puede ser la pieza clave de tu organización.

4.Entiende que todo es temporal y que tenemos un tiempo de caducidad. Además, deseamos que los líderes de nuestro equipo nos superen. Eso hará más grande al equipo que «tú» encabezas.

12. Los Orquestadores ejemplifican la manera de hacer las cosas

Albert Einstein dijo: «*El ejemplo no es la mejor manera de influir; es la única*», y eso es justo de lo que te quiero hablar. Cuando notes un error en la ejecución de tu hacedor, es indispensable que se lo digas, pero asegúrate de hablar con claridad. Sería mejor explicarle en qué se equivocó y cómo debe corregirlo. Sin embargo, lo que te resultará infalible y altamente efectivo es ejemplificarlo y no dejarlo solo en las palabras; enséñale cómo se hace. Sería mucho mejor si tomas el papel de hacedor que tú sin duda sabes hacer bien y que él tome, por un momento, el de Orquestador. De esa manera, observará desde tu punto de vista las acciones y comprenderá en qué se equivocó. Luego muéstrale con el ejemplo cómo es que pretendes que él o ella ejecute. Así no le quedará la menor duda y ambos conseguirán su objetivo.

> «El ejemplo no es la mejor manera de influir; es la única».

Imagina la escena cuando estás desarrollando hacedores nuevos, a quienes ya les enseñaste en teoría cómo funciona el negocio. Ahora debes realizar un ejercicio para su mejor desarrollo. «Ponte en mangas de camisa» y ve con ellos a las trincheras; muéstrales el camino, recorriendo paso a paso y ejemplificando diferentes obstáculos ante situaciones diversas. Enséñales qué acciones tomar ante las adversidades. Así les será más fácil enfrentar la realidad del día a día. Si lo haces, caminarán más seguros. De no hacerlo, pueden estancarse y no avanzar ni lograr objetivos; eso los desmotivará de seguir y perderás a un hacedor que quizá tenía el potencial para lograr grandes cosas.

Este es un punto medular en la carrera de un líder Orquestador. ¡Cuidado! Si no estás dispuesto a trabajar de mano en mano con tus hacedores, no estás listo para este nivel. *Solo cuando seas capaz de ejecutar un instrumento de tu orquesta para mostrarle a tu equipo el ritmo, tono e intensidad que quieres en la ejecución del concierto, serás un buen director. Si bajas del estrado y tomas ese violín que está sonando a una intensidad que no es la de todos y lo tocas a la intensidad que deseas, lograrás que el violinista te entienda y ejecute al parejo del equipo.*

Por favor, no tomes mal esto que voy a decirte; es necesario que lo sepas para que asimiles la importancia de lo que esta idea representa. Si no estás dispuesto a trabajar como lo estoy proponiendo, no estás listo para orquestar. Por lo tanto, debes tomar la decisión de hacerte a un lado para darle la oportunidad a otro que esté dispuesto a hacerlo. De otra manera, si ya estás cansado de hacerlo porque esto es normal y le sucede a cualquier Orquestador, como por ejemplo a un director técnico de un equipo de fútbol—que aun siendo exitoso—llegará un momento en el que tanto él como el equipo necesitarán un cambio. Se han involucrado tanto que quizá comiencen a estancarse, porque se han cansado el uno del otro. Como en este ejemplo, los líderes Orquestadores también llegan a un momento de cansancio y de caducidad, y es de vital importancia para la organización reconocer ese momento en cual hay que dar paso a alguien que quiera hacerlo con la misma efectividad, pero con frescura. Sé que suena duro, pero si no lo haces, estarás obstaculizando a todo tu equipo, y entonces nadie podrá crecer, especialmente tú.

13. El Orquestador entiende que la calidad de los resultados está determinada por la calidad de los hacedores

Pensemos en esos enormes cruceros que navegan a través de mares y océanos, atravesando continentes. Esos cruceros que parecen pequeñas ciudades flotantes con hasta tres mil pasajeros a bordo. El viaje será exitoso no solo por las acciones de su capitán, sino por la tripulación que él comanda. Entonces, cualquier buen capitán primero pone su atención en la selección de su tripulación. Buscará al mejor para cada posición y cubrirá las funciones con los mejores hombres y mujeres que pueda reclutar.

Los mejores gobiernos se componen colocando en los puestos estratégicos a funcionarios capaces y no a los mejores amigos. Elegir para una función a un gran amigo o compadre solo por ese simple hecho siempre resulta en errores que se pagan a veces con desastres nacionales que hunden a un país entero en la miseria. ¿Puede haber amigos en un equipo? Sí, solo aquéllos que en verdad se lo hayan ganado y cumplan con las características y habilidades que se necesitan para lo que van a hacer.

Por lo tanto, un Orquestador de nuestra organización necesita rodearse de la tripulación correcta para que cada uno realice un trabajo estupendo. Tenemos que poner mucha atención y no confundirnos al momento de reclutar a nuestros hacedores. Si bien cualquiera puede llegar a cumplir objetivos, no todos están dispuestos a hacerlo. No todos tienen las habilidades necesarias, la personalidad, la disponibilidad y disposición.

En resumen, aunque todos tienen la capacidad de realizar un buen trabajo, no todos tienen la «actitud» correcta para hacerlo. Por lo tanto, es vital para un Orquestador rodearse de muchos brazos derechos que en verdad le ayuden a navegar el barco y que además le sean de una valiosa asistencia para resolver problemas en vez de provocarlos.

14. Solo el líder Orquestador seguro de sí mismo da estímulo al poder de decisión de otros

Todo liderazgo es temporal. Los Hacedores eventualmente van a mostrar suficientes resultados y van a estar listos para organizar. Solo aquel líder Orquestador que no esté dispuesto a abrirse a nuevas ideas o que no tenga intención de cambiar estará opuesto a ceder liderazgo. Solo los líderes seguros de ellos mismos pueden otorgar poder de decisión a otras personas, sin sentirse amenazados.

Un verdadero líder Orquestador es aquél que tiene suficiente intuición para desarrollar individuos buenos para llevar a cabo lo que se tiene que hacer y no se entromete mientras ellos cumplen con su deber. El peor error que un líder puede cometer es ser la piedra de tropiezo en el camino para el Hacedor que anhela poder organizar un grupo algún día. Algunos Orquestadores pueden caer en la trampa de instigar o criticar a su colega que noblemente se esmera por ser mejor.

Si quieres tener éxito como líder, tienes que encontrar individuos clave, cultivarlos y darles poder de decisión. Es fundamental darles responsabilidad y luego soltarlos para que muestren su liderazgo. Según John Maxwell, «El modelo de liderazgo que otorga poderes abandona su posición de poder y da a todas las personas funciones de líder a fin de que puedan emplear su capacidad al máximo». Solo las personas que reciben la responsabilidad de liderar pueden explotar su potencial.

Cuando un líder no puede o no quiere otorgar el liderazgo, levanta una barrera que nadie en la organización puede atravesar. Si las barreras permanecen por mucho tiempo, la gente se rinde o se va a otra organización donde podrá explotar su potencial al máximo. ¿Por qué la gente no otorga poder? Si se trata de un empleo, es por el temor de perderlo. Un empleado débil cree que si ayuda a sus subordinados, luego lo podrán reemplazar. Quizá sea así en un empleo, pero la verdad es que en los negocios, la única forma de ser libre económicamente es llegar al punto donde te reemplacen. En otras palabras, si continuamente puedes otorgarle poderes a otros y los ayudas a desarrollarlos, a fin de que sean capaces de hacer la función que te corresponde a ti, llegarás a ser tan valioso para la organización que te considerarán indispensable.

Por consiguiente, hay varias respuestas a la pregunta de por qué la gente no otorga el poder. Una, por miedo a ser reemplazado; dos, por resistencia al cambio; tres, por falta de autoestima; y cuatro, porque se obsesionan con el reconocimiento.

Cuando a uno no le importa quién se lleva el mérito, ocurren grandes cosas. Solo un líder seguro de sí mismo otorga el liderazgo. Creo que las cosas más grandes solo suceden cuando le das el mérito a otros. Aunque suene extraño, los grandes líderes ganan autoridad cuando se desprenden de ella.

> **Un gran líder gana autoridad cuando se desprende de ella.**

Un gran líder gana autoridad cuando se desprende de ella.

La clave de otorgar poder de decisión a otras personas es tener confianza en la gente. La verdad es que otorgar liderazgo es algo muy poderoso, no solo para la persona que está en desarrollo, sino también para el mentor. Engrandecer a otros es un acto de nobleza y la nobleza te engrandece por haber vencido el ego.

¿Cómo saber cuándo alguien puede ser un Orquestador? Es una pregunta fundamental para crecer en una organización. En el negocio, la aspiración de convertirse en un líder de nivel «Orquestador» es una característica distintiva de todos los hacedores, pues todos queremos llegar a dirigir nuestros propios equipos. Es por eso que esta pregunta va a marcar la diferencia entre el éxito y el fracaso al momento de transformar a un hacedor en Orquestador.

La mejor forma es observar los resultados, antes de tomar la decisión de a quién ascenderás. Todos estarán constantemente solicitando pasar al siguiente nivel. Sin embargo, no todos podrán sustentarlo cuando llegue el momento de tener que cumplir con las metas establecidas. Solo un hacedor que puede realizar todas las tareas básicas de forma eficiente, que cumple con sus objetivos de manera constante, y a quien no hay que estar impulsando para que llegue, sino que con solo la guía de su mentor realiza su labor y lo demuestra con los números alcanzados, puede pasar al siguiente nivel. Esta es la fórmula. No hay otra. *La mayoría lo pedirá y muchos lo reclamarán, pero solo los que demuestren de forma tangible su capacidad lo lograrán.* En conclusión, hay que desarrollar líderes fuertes para otorgarles, sin reservas, el liderazgo.

15. El líder Orquestador necesita el apoyo del equipo para triunfar

No basta con que a todas las personas que conforman tu equipo les hayas brindado la capacitación, orientación o tutoría. Necesitas también ganarte su apoyo. El hecho de que te reconozcan a ti como su líder tiene que salir de ellos. Debes ser sincero y respetuoso para que confíen que los llevarás por buen camino.

Recuerda que tu equipo es lo más importante en tu camino y es imperativo que reconozcas el esfuerzo y la labor de los hacedores. En ningún momento creas que el éxito lo lograste tú solo, porque no podrías haberlo hecho sin el grupo de personas que están trabajando bajo tu tutela. Por más cualidades que tengas, si no hay un equipo, no hay a quién liderar.

> La mayoría lo pedirá y muchos lo reclamarán, pero solo quienes demuestren su capacidad de forma tangible lo lograrán.

Piensa en un partido de fútbol de los más importantes para un país. Quizás una fase final de la Copa del Mundo. Es un partido tan anhelado por la afición. El entrenador sale a la cancha y el público ruge de emoción. «Miguel» (cualquier parecido con la realidad es mera coincidencia), con un traje impecable que no solo está de moda, sino que impondrá la moda, levanta los brazos y saluda al estadio entero que grita su nombre. Miguel hace un gesto arrogante a un par de periodistas y sigue caminando, pensando que su equipo es el favorito para ganar y avanzar a la siguiente fase.

Miguel disfruta enormemente los aplausos y mientras camina al banquillo, piensa...

«Qué grande soy. ¿Qué haría este equipo sin mí? Esta copa ya es mía».

El cuarto árbitro sonriente se dirige a él y Miguel piensa...

«Seguro que viene a pedirme un autógrafo». Sin embargo, este personaje le hace una sola pregunta...

—Disculpe, Señor Miguel, ¿a qué hora cree que saldrá su equipo, o va a jugar usted solo?

Miguel pone cara de sorpresa y no sabe qué decir. No tiene idea de lo que está sucediendo.

Resulta que Miguel salió antes que su equipo para llevarse las palmas y nunca se dio cuenta que ellos, estando inconformes con su actitud, decidieron quedarse en el pasillo y no salir hasta que él reaccionara y les diera su lugar. Sin embargo, Miguel había perdido el piso. Su equipo lo había llevado a resultados impresionantes que él se adjudicó por completo. Subestimó al equipo y tuvo que regresar por ellos y gritarles para que salieran a la cancha.

En el mismo túnel estaba formado el equipo contrincante, encabezado por su entrenador «Louis». Al momento de salir a la cancha, Louis se hace a un lado y le da una palmada de reconocimiento a cada uno de los jugadores de su equipo para animarlos a salir antes que él. Los jugadores apenas asoman la cabeza cuando su afición se vuelca en cánticos y aplausos para ellos. El entrenador los observa desde el túnel y disfruta como ovacionan a su equipo. Luego sale detrás de ellos y recibe la misma ovación. Levanta un brazo, saluda discretamente y después se concentra en llegar al banquillo donde se oculta de la afición para preparar su estrategia.

La diferencia fue que en la cancha los dos equipos eran muy similares en fuerza, velocidad y técnica. Solo que uno estaba desmotivado por su líder, cuyo equipo sentía que simplemente se preocupaba por su imagen. El otro equipo estaba animado y muy entusiasmado, pues miraban a su entrenador como un líder cercano, que trabajaba con ellos y les daba todo el crédito por los triunfos. Por supuesto, Louis contaba con todo el apoyo de su equipo y eso al final se reflejó en la cancha cuando más se necesitaba. Justo cuando estaban en la adversidad, la confianza mutua logró que se sobrepusieran a un marcador adverso y terminaran ganando el partido para avanzar a la siguiente fase (cualquier parecido con la realidad es nuevamente una coincidencia). Esta es la diferencia cuando el Orquestador cuenta con el apoyo de su equipo. No lo olvides nunca; se necesita el apoyo del equipo para triunfar. Mantén siempre los pies sobre la tierra.

16. El líder Orquestador siempre pone el triunfo del equipo por encima de su propio ego

Siguiendo con el ejemplo anterior, existen líderes que no permiten que el equipo influya en las decisiones; no reciben opiniones y mucho menos sugerencias. Solo están pensando en su triunfo, en sus beneficios, ¿y sabes qué? El equipo se dará cuenta y vas a disminuir su motivación para trabajar en tu organización. Por lo tanto, debemos puntualizar algunas cosas que te ayudarán a mejorar la relación con tu equipo para que ellos se sientan siempre orgullosos de pertenecer a tu organización y ser dirigidos por ti.

- Trabaja con humildad y hombro a hombro con ellos.

- Escúchalos, préstales tu atención.

- Pide opinión antes de tomar una decisión unilateral.

- Sé flexible ante las opiniones.

- Haz el compromiso de atender a sus sugerencias.

- Muéstrales interés por su progreso.

- Comparte tus experiencias con ellos, sin el afán de presumir.

- Si encuentras una de sus ideas inviable, explícales muy bien el porqué; no solo digas: «No».

- Demuéstrales que te interesas en su porvenir.

- Recuerda que al equipo no le importa cuánto sabes, hasta que ellos sepan cuánto te interesas por ellos.

Si sigues estos simples consejos, te ganarás el respeto de los que te siguen y por consiguiente, su apoyo.

17. El líder Orquestador provoca movimiento en la organización

Para dirigir, primero hay que crear movimiento. Tú no puedes dirigir un carro o una bicicleta si no está en movimiento. Hay organizaciones que están estáticas. Antes de dirigirlas, hay que provocar que estén en movimiento.

Cuando el líder Orquestador obtiene pequeños triunfos y celebra estas victorias con su equipo, sin importar qué tan pequeñas sean, crea confianza en los miembros del equipo, la cual les dará la esperanza y el deseo de seguir en acción. Cuando el líder genera este movimiento, entonces puede empezar a dirigir.

Con esto, deseo decirte que no puedes quedarte quieto a esperar que las cosas sucedan sin que provoques movimiento. Es como un efecto columpio; el primer impulso sin duda es importante. Lo mismo pasa con tu equipo de hacedores: Tienes que darles un buen empujón para que se eleven y comiencen su trayectoria. Después debes seguir con el impulso sin parar para que ganen cada vez más y más altura. Si te detienes y los dejas solo con el impulso inicial, comenzarán a bajar la velocidad y cuando menos te des cuenta, estarán detenidos por completo. Allí será cuando deberás gastar energía de nuevo para impulsarlos otra vez y peor aún, quizás antes de que te des cuenta, se bajen del columpio y se pasen a otro juego.

A ningún hacedor le gusta estar parado esperando a que algo suceda. El líder Orquestador provoca movimiento. Si ya lograste reclutar emprendedores proactivos, entonces mantenlos en acción. Hazles sentir que tú les trasmites ese poder de tener siempre un motivo, una causa y un objetivo.

18. El líder Orquestador se organiza con los hacedores que tienen disposición y no se preocupa por los que no llegaron

«Somos los que estamos y estamos los que somos». Esa es la actitud que un líder debe tomar cuando hay falta de participación dentro del equipo. Cuando se organiza gente, muchos de los líderes se encontrarán con inasistencias en sus reuniones.

La verdad es que no hay grupos ni equipos perfectos y por tal razón, todas las organizaciones son perfectibles. Es allí donde un líder le echa ganas para encontrar y entrenar a la gente. En estos casos, la única alternativa es la sabia decisión de ocuparse con los que hayan asistido, mostrando respeto por el grupo, aunque sea pequeño, en lugar de preocuparse y hacer rabietas por los que faltaron.

Al ocuparnos con pocos recursos humanos, nos daremos cuenta de que logramos más con unos pocos buenos que son constantes y comprometidos en la línea de combate que con muchos que buscaron excusas para no asistir. Como dice el dicho, «Si esperas a que todas las luces se pongan en verde antes de emprender un viaje por la ciudad, nunca saldrás». O mejor dicho, como decía José María Morelos y Pavón: «Con pocos soldados tan cumplidos en sus convicciones y tan valerosos en sus acciones triunfaremos en nuestra causa». En otras palabras, si sólo tienes limones, haz limonada.

Permíteme contarte esta anécdota: Conocí a un profesor de universidad que en su primer día de clase y al llegar a su aula, se dio cuenta que solo tenía a 10 alumnos en un auditorio para 50 personas. Resulta que como era nuevo, nadie lo conocía y solo esos 10 decidieron arriesgarse a entrar a la cátedra de un profesor nuevo. El profesor evitó mostrar una cara de sorpresa. Miró a los estudiantes, sonrió y guardó para sí el sentimiento de tristeza y desilusión, y comenzó presentándose y pidiendo que se presentarán. A pesar de ver el auditorio casi vacío, puso todo su entusiasmo en su primera cátedra. Los 10 estudiantes salieron muy contentos y contagiados de su energía positiva, seguros de que querían regresar a escucharlo nuevamente. Clase tras clase, él daba todo de sí, sin importar que preparara toda una cátedra para tan pocos alumnos. Siempre lo hizo como si la preparara para los 50.

> **No tienes enfrente poca oportunidad porque no hay mucha gente, tienes poca gente con mucha oportunidad.**

Con el paso de los meses, sus 10 pupilos habían invitado a sus compañeros de otras clases a escucharlo y tomar su cátedra, así que a la mitad del semestre, ya tenía a sus 10 alumnos más 10 invitados. Para el siguiente semestre, a pesar de aún considerarse como un profesor novato, había 40 inscritos en su clase. Para final del semestre, había 50, porque tenía de nuevo 10 invitados. La sorpresa fue que, a un año de su primera clase con 10 personas, el grupo estaba completamente lleno y en los semestres siguientes, tenían que anotarse con mucha anticipación a su clase si es que querían ganar un lugar. A la postre, llegó a ser un afamado profesor con clases llenas cada semestre. Si él hubiera renunciado el primer día, esto nunca hubiera pasado.

Aprendamos de esta experiencia. Si algún día en una de tus reuniones solo llegan unos cuantos, haz lo que hizo ese profesor. Siendo realista, sé que no te vas a sentir muy contento con ese resultado. Tener pocas personas cuando esperas muchas tal vez es motivo de desilusión y desesperación. Puede que sientas el deseo de cancelar y regresar a sus casas a los que sí asistieron. Por favor, no hagas eso. Lo que debes hacer, en estos casos, es lo que hizo el profesor. Sacúdete de ese sentimiento, métalo debajo de la mesa y piensa que tienes frente a ti, aunque haya pocos, a los que quieren salir adelante y que están buscando una oportunidad de éxito. Tienes un grupo de ganadores.

Por lo tanto, enfócate en ellos, consiéntelos, apapáchalos para que se sientan en confianza y puedas platicar de todos los beneficios que encontrarán. Recuerda, *no tienes enfrente poca oportunidad porque no hay mucha gente, tienes poca gente con mucha oportunidad.*

19. El líder Orquestador entiende el impacto de sus acciones en la organización

Cuando llegas a un nivel de liderazgo de tercer nivel, las responsabilidades aumentan, no solo a nivel de empresa, sino también a nivel personal. Ahora, eres lo más similar a una figura pública con sus debidas diferencias y te siguen muchas personas. Eres un ejemplo para tus hacedores y para los que están en el primer nivel, que algún día querrán verse como tú. Escucharán lo que dices, verán lo que haces. Quizá copiarán tus frases y por lo tanto, tus acciones. Para hacértelo más breve, estás en el ojo del huracán.

Ahora eres un líder las 24 horas al día. Tu equipo observará lo que haces en los eventos, en la calle, en el supermercado, mientras conduces y cómo te conduces. Pero no te espantes; seguro que lo disfrutarás una vez que te lo hayas ganado. Pero aquí entra lo que es la responsabilidad. Ahora tendrás que ser mucho más cuidadoso con tu comportamiento; deberás procurar ser intachable, pues tienes un nivel de influencia importante para otros.

Un líder Orquestador tiene que cuidar su imagen, desde el vestir, el hablar y el actuar. Aunque esto te suene raro para esta época, debes comportarte dentro de las reglas para expandir tu liderazgo. Recuerda que en este nivel, no solo tu familia te rodea. Ahora tu círculo social se ha expandido más allá de la familia y amigos, por lo que no querrás ser mal visto por algún integrante de tu equipo.

Debido a tu nivel, estás expuesto a tentaciones que deberás evitar. Las fiestas familiares son un buen lugar para irte a divertir; no así los bares y antros a los que acuden solteros o las personas sin escrúpulos y que realizan acciones fuera de lo considerado aceptable por la familia. Estarás ganando el dinero suficiente para hacerlo, pero esto puede derribar tu liderazgo y hacerte perder tu nivel si es que tu equipo pierde la confianza en ti y se aleja o se va a otra organización donde se siente más identificado con su líder. Recuerda: lo moral acerca y lo inmoral aleja.

Las redes sociales, como bien sabes, pueden encumbrarte o sepultarte. Así es. Ahora que eres un líder Orquestador, lo que escribas en las redes sociales podrá generar un impacto positivo o negativo. Cuida de no estar expuesto a una mala nota hacia tu persona. Recuerda que los vídeos y las fotos inapropiadas se hacen virales en las redes. Han destruido carreras de artistas, políticos y empresarios que han perdido hasta a su familia debido a una mala publicación.

Recuerdo muy bien a un funcionario del gobierno de un estado de la República Mexicana que hizo un comentario homofóbico en Twitter y al siguiente día fue destituido de su cargo. En otra ocasión, el director de TV UNAM hizo comentarios inapropiados en septiembre del 2016 con respecto al recién fallecido cantante Juan Gabriel. Se le pidió su renuncia y aunque hizo esos comentarios a título personal y por sus redes personales, fue condenado porque sus comentarios no correspondían a la filosofía de las instituciones a las que prestaba sus servicios. Y así podríamos hablar de más y más casos.

Ahora debes ser mucho más sensible al dirigirte a tus socios y a sus familias. No te recomiendo que uses palabras de doble sentido o llamarlos por sobrenombre. Es fundamental respetar a las esposas de los demás y tratar a sus hijos dignamente, sin soberbia y sin altanería. Lo importante es que veas la importancia de tu comportamiento digno dentro y fuera de tu servicio como líder y que recuerdes que eres líder las 24 horas al día.

20. Los líderes Orquestadores se vuelven sirvientes

¿Tienes idea de cuántas historias hay de empresas que fracasan porque empiezan bien y terminan mal por el desconocimiento de la relación que hay entre la actitud de servir y la percepción de «servir»?

Martín Luther King dijo: «Todo el mundo puede ser grande... porque cualquiera puede servir. No tienes que tener un título universitario para servir. No tienes que hacer que tu sujeto y verbo se pongan de acuerdo para servir. Solo necesitas un corazón lleno de gracia. Un corazón motivado por el amor».

El gran problema hoy en día es que no sabemos en realidad lo que es servir y lo confundimos con sometimiento debido a la historia detrás de la palabra. Servir se deriva del sustantivo «siervo». La palabra siervo proviene del latín *servus*, que significa esclavo. El verbo «serviré» proviene de servir, que significa ser esclavo o estar al servicio de. «Serviré» nos dio las palabras servir, servicio, servilleta, sirviente. Esto es lo que causa confusión. Por lo tanto, al escuchar la palabra servir, percibimos a un individuo que no es digno y accede a obrar sin voluntad, con entrega y lealtad a la disponibilidad de una persona, sin tener derecho a opinar. Servir nos hace pensar en mostrar obediencia y sometimiento, lo cual nos lleva a sentir que es un acto sin dignidad, especialmente en nuestros tiempos modernos. Sin embargo, «servir» no tiene nada que ver con ser un esclavo. Servir dignifica. Recuerda lo que hacía Jesús entre sus discípulos.

> **Bajo el nuevo concepto de servicio, cuanto más sirves, más valor tienes. Cuanto más valor generas, más resultados darás y cuanto más resultados obtengas, más crecerás y llegarás a cumplir tu sueño.**

Es muy importante que sepamos que lo que concebimos mentalmente es vital para nuestro funcionamiento social. Nuestras capacidades son afectadas por nuestras actitudes. Nuestras actitudes son afectadas por nuestras creencias. Lo que el hombre percibe de un siervo es que era un esclavo que ejercía un servicio forzado, que los siervos son sometidos y que esta posición es para lo peor de la sociedad que no tiene oportunidad de vivir una buena vida. Debido a que la palabra siervo y esclavo tienen la misma connotación, los hombres modernos no piensan que servir sea algo grande. Todo lo contrario; piensan en convertirse en algo grande para que alguien con menos valor que ellos les sirva.

En uno de mis libros, *Engrane*, propongo que en una mente moderna se acepte «servir» como un Engrane, como un mecanismo que impulsa y mejora a otros.

¿Cuál es tu actitud cuando se te pide «servir» o ejecutar una tarea? Antes de contestar esta pregunta, entendamos lo que es la actitud, pues las personas que vas a liderar tienen la facultad de percibir tu actitud.

¿Qué es actitud? Es el estado físico y mental que expresa un individuo a través de su disposición. Es decir, es una postura física que expresa lo emocional y lo mental. En la vida todo es así; percibimos las cosas según nuestras creencias. A esto los psicólogos le llaman paradigmas, es decir, un modelo o modo psicológico de ver o hacer las cosas. No vemos el mundo como es, sino como creemos que es. Si hay un paradigma equivocado sobre el «servir», tu actitud va a estar equivocada.

A pesar de que hoy en día la palabra servir implica realizar una acción por voluntad, no la aceptamos al cien por ciento, pues su significado o el pensamiento que nos trae a la mente nos provoca pensar en esa persona sometida. Sin embargo, te aseguro que no es así. Hoy en día, esa palabra tiene otra connotación y un gran valor. Regresemos a la pregunta: ¿Cuál es tu actitud cuando se te pide «servir» o ejecutar una tarea? ¿Tu estado de ánimo es positivo al realizar la acción, o tu actitud es negativa? ¿Te sientes usado, sumiso, sin voz ni voto y hasta consumido? No hay razón para sentirse así. Aquí las monarquías y la esclavitud no existen. «Servir» puede ejercerse libremente, sin imposición y se puede servir o puedes servir sin recibir emolumentos o con una alta remuneración. Es tu elección. Recuerda que el «servir» es como un engrane. Aquello que hagamos o ejecutemos es solo un fragmento de un todo. Es como construir una casa en un vecindario. La fundación por sí sola no es la casa. Se necesita el resto de la construcción para que se convierta en eso. Por lo tanto, el servir o lo que hagas por los demás se convierte en un engranaje social en el que todos servimos a todos y nuestros servicios tienen un valor. Es por eso que ahora las empresas le piden a su personal que terminen diciendo: «Estoy para servirte», porque ahora la palabra servir tiene un valor. El servir es un mecanismo que además de impulsar y mejorar, añade valor a otros.

¿Te das cuenta? Ahora percibes la palabra servir de una forma diferente y bajo su verdadero contexto y valor. Ahora comprendes que en la organización debemos transformarnos en sirvientes para mejorar e impulsar a alguien. Agregamos un valor a nuestro quehacer y nos volvemos parte de la estructura del engranaje del equipo que lideramos y de la misma sociedad. Es decir, *bajo el nuevo concepto de servicio, cuanto más sirves, más valor tienes. Cuanto más valor generas, más resultados darás y cuanto más resultados obtengas, más crecerás y llegarás a cumplir tu sueño,* tu ideal. No tengas miedo de transformarte en un sirviente. Eso es justo lo que te hará grande. Recordemos las palabras de Jesucristo donde básicamente nos dice que el que sirva más, es el más grande.

Entonces Jesús habló a la muchedumbre y a sus discípulos, diciendo: Los escribas y los fariseos se han sentado en la cátedra de Moisés. De modo que haced y observad todo lo que os digan; pero no hagáis conforme a sus obras, porque ellos dicen y no hacen. Atan cargas pesadas y difíciles de llevar, y las ponen sobre las espaldas de los hombres, pero ellos ni con un dedo quieren moverlas. Sino que hacen todas sus obras para ser vistos por los hombres; pues ensanchan sus filacterias y alargan los flecos de sus mantos; aman el lugar de honor en los banquetes y los primeros asientos en las sinagogas, y los saludos respetuosos en las plazas y ser llamados por los hombres Rabí. Pero vosotros no dejéis que os llamen Rabí; porque uno es vuestro Maestro y todos vosotros sois hermanos. Y no llaméis a nadie padre vuestro en la tierra, porque uno es vuestro Padre, el que está en los cielos. Ni dejéis que os llamen preceptores; porque uno es vuestro Preceptor, Cristo. Pero el mayor de vosotros será vuestro servidor. Y cualquiera que se enaltezca, será humillado, y cualquiera que se humille, será enaltecido. (Mateo 23.1–12 LBLA)

21. El líder Orquestador ve el beneficio de ser reemplazado

Cuando uno es guía de otros, es importante percibir cuando la planta se está convirtiendo en árbol. Por lo general, cuando las personas están surgiendo como líderes, te empiezan a dar señales. Se empiezan a independizar y tienden a consultar poco. Es decir, cuando los niños se convierten en jóvenes, tienen más preguntas y creen que ellos tienen las respuestas. Es importante estar al pendiente cuando están surgiendo nuevos líderes para darles el espacio que necesitan para crecer. Una de las señales más comunes es cuando alguien quiere organizar un evento sin tu guía. Es como si te dijera tu hijo: «Papá, dame las llaves del auto que ahora voy a manejar». Claro que te preocupa, pero hay que tener confianza. En Equipovisión surgieron líderes con la actitud de trasplantarse y crear nuevos bosques. Estoy orgulloso de ellos por ser un ejemplo para otros y no una piedra de tropiezo, sino una piedra angular.

Recordemos que todo liderazgo es temporal. Imagínate que llegas a la presidencia de un país y luego no quieras ser reemplazado. Imagínate ser capitán de un equipo de fútbol y que a los 70 años quieras seguir como capitán. Los Hacedores eventualmente van a mostrar suficientes resultados y van a estar listos para organizar. Solo aquel líder Orquestador que no ve los beneficios de ser mentor de Orquestadores no va a querer otorgar el liderazgo.

El peor error que puede cometer un Orquestador es ser piedra de tropiezo para aquel Hacedor que anhela algún día poder organizar un grupo. *Recuerda que obstaculizar la evolución de un individuo es obstaculizar la evolución de su familia.*

Si quieres tener éxito como líder, tienes que encontrar individuos clave, cultivarlos y darles poder de decisión. Ganas más autoridad cuando te desprendes de ella.

> **Recuerda que obstaculizar la evolución de un individuo, es obstaculizar la evolución de su familia.**

¿Cómo saber cuándo alguien puede ser un Orquestador? Esta es una pregunta fundamental para agrandar una organización. La mejor forma de saber es no solo porque ellos te lo pidan, sino observar los resultados de los hacedores. En el negocio, la aspiración de convertirse en un líder de nivel Orquestador es una característica distintiva entre los hacedores, pues todos queremos llegar a dirigir nuestros propios equipos. Es por eso que esta pregunta va a marcar la diferencia entre el éxito y el fracaso al momento de transformar a un hacedor en Orquestador. Recuerda que no se trata de entregar títulos. Los niveles en esta industria se ganan con esfuerzo y resultados.

Los Orquestadores son líderes que saben que los triunfos vienen del trabajo en equipo y saben también que todo liderazgo es temporal. Conforme pasa el tiempo, su liderazgo se va desgastando, así que deben procurar preparar a alguien de su equipo que considere que tiene las herramientas y el talento para sucederlos en el escaño.

Para finalizar este capítulo, sólo quiero decirte un par de cosas. Sé muy bien, por mi propia experiencia, que ser Orquestador no es nada fácil. Se requiere mucha energía para mover a todo tu equipo y tendrás que poner todo tu empeño y voluntad. Tendrás que intercambiar algunas cosas por otras, reorganizar tus prioridades y seleccionar con cautela lo que consideres urgente. Algunos días, sentirás que estás cansado, que la voluntad se agota y es ahí cuando debes recordar tus sueños. Hacia dónde vas, a dónde quieres llegar, qué quieres darle a tu familia, dónde quieres vivir.

A través de esta reflexión, tomarás la fuerza necesaria para tomar aire profundamente y levantarte de nuevo a trabajar como has aprendido a hacerlo, con ese espíritu de campeón que te ha llevado hasta donde estás. En efecto, suena fácil y los líderes estamos acostumbrados a hacerlo ver fácil. Nacimos para esto, para servir, para llevar a la comunidad más y más alto, pero también para enseñar y guiar a otros para lograrlo. Luego, ellos nos reemplazarán, haciendo crecer nuestras ideas. Sólo así y en ese momento, dejaremos un legado en nuestro paso por la vida. De esa manera, seremos recordados por todos aquéllos a quienes servimos.

Capítulo TRECE

Abrir brecha para que otros avancen

Algo que no funcionaba era el «pretender». Estuvimos de acuerdo en tener una organización que estuviera basada en resultados y no solo en apariencias. Como seres humanos, somos proclives a repetir los errores del pasado. Por lo tanto, la constitución de Equipovisión tiene el propósito de evitar repetir esos errores.

Los líderes necesitan conocer la historia de Equipovisión. De esa forma podrán apreciar lo que tienen. Es como en el caso de un ciudadano: Necesita entender la historia de su país para saber por qué las cosas están como están. Por eso, recomiendo leer la Constitución de los Estados Unidos, porque refleja las preocupaciones y expectativas de una sociedad ordenada y próspera.

Estoy convencido que cualquier persona, sin importar quién sea y de dónde venga, puede convertirse en un líder del tercer nivel y ser alguien en la vida. Mucha gente no se ve a sí misma como un líder. Quizá no creas que puedes convertirte en un líder. Yo tampoco lo creía. Algunas personas no logran dar ese paso, no porque no tengan la capacidad, sino porque no quieren. En mi opinión, la raíz del problema es la pereza, no la falta de habilidades.

Sinceramente, los seres humanos tenemos la capacidad de pensar gracias a que parte de la estructura de nuestro cerebro está formada por neuronas. El sistema neuronal funciona de manera muy simple. Su función es registrar la información. Por lo tanto, todo lo que llega a nuestra mente es grabado en la memoria. Es posible que no hables francés; sin embargo, te puedo enseñar ahora mismo.

—Bonjour (hola).

Esta palabra significa hola o buen día. Repite: bonjour.

Si te das cuenta, ¡tu cerebro graba la palabra inmediatamente y ahora has hablado francés!

¿Quieres ser mecánico? Solo observa la manera cómo ejecuta su trabajo o escúchalo hablar y terminarás hablando el lenguaje de un mecánico. Es así de simple.

La vida no es tan difícil de interpretar, porque Dios nos ha dado todas las herramientas para cultivar nuestras mentes, y esas herramientas son nuestros ojos y oídos. Si cerramos nuestros ojos y oídos, sufriremos las consecuencias. Yo empecé mi vida de la peor forma, pero aún con eso, aprendí a soñar; luego aprendí a aprender y luego aprendí a hacer. Después de tanta lucha en el negocio, aprendí a orquestar como líder. Puede que no sea el más rápido aprendiz, ¡pero aún estoy creciendo!

> **El propósito de un buen liderazgo es fortalecer a otros, no controlarlos.**

Tú y yo tenemos todo lo que necesitamos para aprender, crecer y lograr nuestros sueños.

El propósito de un buen liderazgo es fortalecer a otros, no controlarlos.

Los negocios pueden llegar a un punto donde lo más importante no es el dinero, el poder o el prestigio, sino ser capaces de dejar un legado. De hecho, esa es nuestra meta: abrir camino para que otros avancen.

Se trata, más que nada, de cuánto puedes contribuir a la sociedad.

En el Antiguo Testamento, Salomón habla acerca de lo que nos motiva a hacer y lograr cosas. En la mayoría de los casos, no hacemos las cosas por quedar bien ante los ojos de Dios, sino por alimentar nuestro ego. Cuando leí estas palabras en Eclesiastés, fue por primera vez cuando comenzábamos con Equipovisión.

Los que aman el dinero nunca tendrán suficiente. ¡Qué absurdo es pensar que las riquezas traen verdadera felicidad! Cuanto más tengas, más se te acercará la gente para ayudarte a gastarlo. Por lo tanto, ¿de qué sirven las riquezas? ¡Quizá solo para ver cómo se escapan de las manos!

La gente trabajadora siempre duerme bien, coma mucho o coma poco; pero los ricos rara vez tienen una buena noche de descanso.

He notado otro gran problema bajo el sol: Acaparar riquezas perjudica al que ahorra.

Se invierte dinero en negocios arriesgados que fracasan, y entonces todo se pierde. A fin de cuentas, no queda nada para dejarles a los hijos.

Todos llegamos al final de nuestra vida tal como estábamos el día que nacimos: desnudos y con las manos vacías. No podemos llevarnos las riquezas al morir.

Esto es otro problema muy serio: Las personas no se van de este mundo mejor de lo que llegaron. Todo su esfuerzo es en vano, como si trabajaran para el viento. Viven toda su vida bajo una carga pesada: con enojo, frustración y desánimo.

Aun así, he notado al menos una cosa positiva. Es bueno que la gente coma, beba y disfrute del trabajo que hace bajo el sol durante el corto tiempo de vida que Dios le concedió, y que acepte su destino.

También es algo bueno recibir riquezas de parte de Dios y la buena salud para disfrutarlas. Disfrutar del trabajo y aceptar lo que depara la vida son verdaderos regalos de Dios.

A esas personas Dios las mantiene tan ocupadas con disfrutar de la vida que no pasan tiempo rumiando el pasado.

(Eclesiastés 5.10–20 NTV)

Solo puedo comer en una mesa a la vez, solo puedo dormir en una cama a la vez, solo puedo estar en un lugar a la vez. ¿Entonces para que luchar por acumular cosas? Salomón fue el acumulador más grande del mundo, por eso quiso advertirnos.

La filosofía de mi vida es muy simple. Construyo un camino y abro brecha para que otros puedan caminar a través de él. La verdad es que otros crearon un camino para que yo siguiera y disfrutara del éxito. Por ejemplo, en los Estados Unidos, cuántos dieron sus vidas peleando por la libertad y democracia. La gente creó instituciones de

> **También es algo bueno recibir riquezas de parte de Dios y buena salud para disfrutarlas. Disfrutar del trabajo y aceptar lo que depara la vida son verdaderos regalos de Dios.**

aprendizaje para que nos educáramos y funcionáramos mejor como individuos dentro de una sociedad. Los empresarios abrieron nuevos caminos que han elevado nuestra economía y han creado increíbles innovaciones.

¡También es mi cometido, por la gracia de Dios, abrir camino para que otros avancen y puedan impulsar a sus familias!

Salomón escribió también en *Proverbios 11.24–25 (JBS):*

«Hay quienes reparten, y les es añadido más;
Y hay quienes retienen más de lo que es justo, mas vienen a pobreza».

Empodera a las personas a crecer y ser exitosas.

La transparencia fomenta la aceptación y el compromiso.

El liderazgo con vocación de servicio funciona. Edifica a otros.

Y sé que la industria de venta directa funciona.

Capítulo CATORCE

¿Inviertes tu tiempo o lo malgastas?

¿Cómo es que un ser humano concibe un sueño? ¿Cuál es el proceso por el que debe pasar? Te recomiendo que leas Mateo 7.7-11. En mi experiencia, la forma en la que Dios responde es regalándonos un sueño. Esta perspectiva es tan obvia y natural que no parece ser lo suficientemente «sobrenatural» para mucha gente. Venimos a este mundo con un deseo de bien. No podemos ignorar los deseos de nuestro corazón y pretender que no tenemos un sueño o que no podemos lograrlo.

Mucha gente confunde los sueños con deseos. Los deseos son anhelos que no conllevan esfuerzo. Como seres humanos, todos tenemos un cierto grado de sentido común. Todos tenemos la habilidad de sentir lo que deseamos en lo más profundo de nuestro corazón. Consigue lo que deseas. Sabemos que para lograr ese sueño, es fundamental diseñar un plan de acción y aportar el esfuerzo.

El trabajo también es un regalo de Dios, lo sientas así o no. Cuando trabajas para lograr una meta, aprendes habilidades y edificas tu carácter. Si vas por la vida viviendo de lo que alguien más te proporciona, te acostumbras a que otros, incluyendo empleadores, se hagan cargo de ti y cualquier cosa que te den solo te proporcionará satisfacción temporal.

Es como en la Biblia cuando Dios le proporcionó maná a los israelíes después de que dejaron Egipto. Cada mañana, por años, aparecía el alimento de forma milagrosa, pero no estaban satisfechos. De hecho, se quejaron con Moisés.

—Estamos cansados de este pan que sabe raro. ¿Por qué no nos da carne, o tal vez algunas otras opciones para elegir?

Suena muy parecido a nuestra sociedad presente, ¿verdad?

Los sueños significan trabajo. El trabajo significa resultados y el agradecimiento por esos resultados.

Cuando mis hijos mayores tenían doce y cinco años, querían una consola de vídeo juegos. Por lo tanto, me pedían y pedían, tal como acostumbran los chicos, hasta que cansan a los padres. Un día, probablemente en un momento en los que ya me habían no solo cansado, sino que me habían dejado exhausto, dije que sí. El domingo siguiente, después de ir a la iglesia, mis hijos empezaron a cerrar el trato.

—Okey, papá, vamos a la tienda, porque tú prometiste que iríamos a comprar ese vídeojuego.

Y yo expresé: «¿Acaso dije que los llevaría precisamente hoy, después del servicio dominical?».

Empezaron a enojarse, por lo tanto, dije: «Miren, muchachos. Eso sí va a ocurrir, pero hoy es domingo. Comamos juntos y entonces, mañana vamos y la compramos, después de la escuela».

En cuanto llegamos a casa de la iglesia, le dije a Alicia: «Necesito que vayas a la tienda y compres todo lo que necesites para que podamos cocinar varias docenas de tamales. Los vamos a cocinar mañana». Al siguiente día, después de la escuela, los chicos corrieron hacia la cocina.

—Papá, hoy es lunes y ya salimos de la escuela y tú dijiste que hoy vas a comprarnos el vídeojuego.

—Si, tienen toda la razón. Vayan a darse un baño y necesito que se vistan muy bien.

—¿Vestirnos muy bien para ir a comprar un vídeojuego? —respondieron sorprendidos.

—Sí.

Mientras se aseaban, mi esposa y yo pusimos los tamales en bolsas, seis en cada una, y los pusimos en la cajuela del auto.

Cuando los niños bajaron después de asearse, anuncié: «¡Vámonos!»

En cuanto llegamos al carro, abrí la cajuela y dije: «Tenemos unas doce docenas de tamales aquí. Los vamos a vender».

Me voltearon a ver con expresiones de verdadera confusión. Era probablemente la misma forma que yo miré a mi abuelita cuando me mandó a que fuera con los vecinos y me ganara algo de dinero, excepto que para este momento de nuestras vidas, nuestro negocio había crecido y nos iba bien.

—Ustedes quieren un vídeojuego, ¿no? Bueno, pues vamos a tocar puertas en el vecindario y a ganar algo de dinero.

Los chicos respetaron mi postura y sin decir nada, aceptaron. Empezaron a tocar algunas puertas y yo fui con mi vecino, quien era un buen amigo, y le dije:

—Mira, mis hijos están vendiendo tamales. No les compres nada. Diles que eres alérgico a los tamales o algo. Hazles sentir rechazos, como le ocurre a un vendedor novato. De esa manera, sentirán la decepción del rechazo y podrán apreciar lo que cuesta ganarse un dólar. Cuando los muchachos fueron a casa del vecino, éste se encargó de hacer una excelente actuación.

—¡Fuera de aquí, muchachos! No quiero tamales. Saben horrible. ¡Además soy alérgico!

Cuando regresaron al carro, les pregunté: «¿Vendieron algunos?»

—No.

—Está bien —les dije—, miren, muchachos. Cada vez que ustedes quieran vender algo, la gente tiene que tener una razón por la cual comprar. Si no les das una buena razón para que te compren, no comprarán. Por lo tanto, ¿qué les decimos?

—Les decimos la verdad —respondió mi hijo mayor.

—Exactamente —respondí—, diles que deseas comprar un vídeojuego y que tu papá no les da el dinero para comprarlo. Por lo tanto, están recaudando fondos para eso.

Aproveché este momento de enseñanza. La gente es sensible. Si te ven poniendo esfuerzo por una buena causa, es más probable que estarán encantados de comprarte algo, pues en el fondo quieren sentir que están contribuyendo.

Así que los llevé a otro vecindario y ese día hacía un fuerte calor, probablemente en alcanzando los 110 grados, y afortunadamente estos chicos empezaron a vender y a ganar dinero. ¡Les cambió el ánimo!

—¡Papá, vendimos casi todos!

—Okey. Perfecto. Denme el dinero.

—Pero, papá. Nosotros trabajamos por ese dinero.

—¡Ah! ¿Ustedes trabajaron para ganarlo? ¿Cómo les hace sentir eso?

—Se siente como que estás tratando de quitárnoslo.

—Bueno, trabajaron y están tratando de proteger lo que ganaron, ¿verdad?

—Si, papá.

—Bueno, pues así es como yo me siento, estoy protegiendo el dinero. Su mamá y yo hemos trabajado por nuestro dinero, pero si solo les damos ese vídeojuego a ustedes, ¿qué creen que pasaría? En dos semanas, querrán otro vídeojuego. Hagamos esto. ¿Ustedes quieren un vídeo juego? Los voy a llevar a la tienda y lo compraremos con su dinero.

Lo que dijeron a continuación me sorprendió.

—Papá, ya no queremos el vídeojuego. Nos gustaría mejor ahorrar el dinero.

Ya no nos piden vídeojuegos ni a su mamá ni a mí. Saben que tienen que trabajar para conseguir sus metas.

¿Se acuerdan de la historia de Dylen? Permíteme recordarla.

Mi hijo mayor, Juan, era amigo de otro chico de su edad en el vecindario. Cuando tenía alrededor de diez años, su amigo Dylen tocó el timbre y me preguntó si Juan se encontraba en casa.

Le dije que sí y le pedí que pasara, pero luego él preguntó: «¿Puede llamarlo?»

Un poco confundido, asentí y llamé a Juan.

Mientras esperábamos, noté que nuestro pequeño visitante tenía en sus manos una caja del tamaño de una caja de zapatos.

—¿Qué hay en la caja?

—Barras de chocolate —respondió—. Le pedí a papá que me comprara una Xbox, pero en lugar de comprármela, me dio $20 dólares. Luego me llevó a una tienda y me hizo comprar cinco cajas de barras de chocolate. Cada caja tiene veinte chocolates, por lo tanto, si los vendo, tendré $100.

En ese preciso momento, mi hijo Ángel apareció.

Nuestro pequeño vecino vio la oportunidad —Ángel, escoge una barra de chocolate —y él sacó una de la caja—. Muchas gracias, señor. Un dólar, por favor.

Inmediatamente me dije: «Mi vecino está entrenando a este niño a pensar financieramente».

Justo entonces, mi hijo Juan apareció en la puerta.

—Juan, ¡tienes que probar este chocolate!

Por lo tanto, mi hijo tomó el chocolate y le dio una mordida.

—Señor, dos dólares, por favor.

Quedé impresionado, pues yo nunca había pensado en ser su cliente. Más que nada, me sentí tocado por el hecho de que este chico tenía la voluntad de invertir tiempo para ganar dinero.

El tiempo es como el dinero: o lo inviertes o lo malgastas. Si malgastas tu tiempo, no recibes nada a cambio, pero si lo inviertes, aunque sea recogiendo envases de aluminio por la calle, puedes obtener algo a cambio.

Es simple y es la diferencia entre alguien que triunfa en la vida y alguien que no logra nada. La diferencia reside en cómo se invierte el tiempo.

En retrospectiva, eso es básicamente lo que hicimos toda nuestra vida sin siquiera notarlo. Simplemente decidimos invertir nuestro tiempo.

Hace un tiempo durante un verano, fui a mostrar el plan de negocio a un grupo. En el momento en que todos nos presentamos, le pregunté a dos muchachos: «¿Ustedes de dónde son?».

—Crecimos en Madera.

—¿En verdad? Yo vivía en Madera antes.

—Sí, ya lo sabemos —dijo uno de ellos—. Usted daba clases en la Washington Union High School.

—¿Cómo sabes eso? —inquirí.

—Bueno, porque usted fue nuestro maestro.

¡Tuve el privilegio de enseñar a estos jóvenes dos veces! Uno de ellos me preguntó qué se necesita para lograr un sueño.

Hay tres cosas que debemos entender cuando se trata de lograr que un sueño se convierta en realidad. Primero, debes tener la voluntad de poner el trabajo. Segundo, necesitas tener los recursos para hacerlo y tercero, tienes que saber cómo hacerlo. Si tienes la voluntad, pero no sabes cómo hacerlo, no va a funcionar. Si tienes la voluntad y sabes cómo hacerlo, pero no tienes los recursos, no hay manera de lograrlo. Puedes tener los recursos y saber cómo hacerlo, pero sino no tienes la voluntad, ese sueño no se realizará.

Esto se aplica a cualquier cosa que quieras lograr. Por lo tanto, cada vez que empiezo un proyecto, me aseguro de que esos tres elementos entren en función.

Digamos que tienes el sueño de convertirte en un jugador profesional de fútbol. Puede que tengas la voluntad y el conocimiento, ¿pero tienes los recursos físicos?

En la industria de venta directa, yo le digo a las personas: «Vas a necesitar la voluntad». Los recursos son las personas. El saber cómo es sencillo: tenemos un sistema de desarrollo comprobado.

Aprendiendo del pasado

Para ayudar a mis hijos a que me conocieran más, quise que ellos vieran donde crecí.

Fuimos a México y rentamos una casa cercana a donde yo crecí. La experiencia probablemente me impactó de la misma forma que lo hizo con mi familia.

Mientras caminábamos por las calles polvorientas, los recuerdos embistieron mi memoria y la imagen nítida de mi abuela se presentó frente a mis ojos, preguntándome: «¿Quieres un poco de té de canela con o sin azúcar?»

Yo solía responder: «Con azúcar».

Por lo tanto, ella me pasaba una tasa vacía y decía: «Muy bien. Vayan de los vecinos y pregunten si nos pueden regalar un poco de azúcar».

En nuestra pequeña comunidad era común pedir cosas.

Por lo tanto, empezábamos a tocar puertas y a pedir azúcar. Uno de los vecinos se compadeció y nos regaló el azúcar.

Llevé el azúcar a mi abuela y luego le pregunté: «¿Por qué vivimos en una casa como esta? ¿Por qué somos tan pobres?». Pues estaba lloviendo y el agua entraba por los hoyos de la casa.

Ella no respondió.

Por lo tanto, le dije: «Mamá María, cuando yo crezca, voy a construirle una casa para no mojarnos».

Ella dejó lo que estaba haciendo y me regaló una mirada llorosa y firme.

—Hay algo que necesito que entiendas. Dime que cuando crezcas, vas a hacer todo lo posible por ser alguien en la vida, Juan. No quiero que andes en las calles o que robes a otras personas.

Ese fue el momento cuando comencé a hacer una conexión con mi abuelita y a sentir confianza para preguntarle acerca de mis padres.

Ese sueño se mantuvo latente mientras construía nuestro negocio. Por la gracia de Dios, ese sueño se hizo realidad. Fue tan satisfactorio para toda la familia. El trabajo valió la pena.

Para la visita de mi familia, rentamos una pequeña casa cerca del mar. No tenía aire acondicionado, pero si tenía un montón de mosquitos.

Al principio, mis hijos estaban enojados. No estaban acostumbrados a las incomodidades, pero estuvieron muy sorprendidos cuando se dieron cuenta que la casa donde yo crecí era una choza comparada con la casa rentada. El hogar de mi niñez ya no existía, pero el barrio casi no había cambiado. Nos asentamos y disfrutamos de pescar juntos cada mañana.

Los llevé a conocer a algunos de mis familiares, incluyendo a mi madrina Velia. Cuando era chico, acostumbraba ir a su casa y ella me daba de comer.

Tenía toda clase de historias para compartir con mis hijos.

—Escuchen, para su papá fue muy duro. No vayan a subestimar lo que él hace por ustedes.

La vida es diferente. Cada vez que vamos al pueblo donde crecí, a mis hijos les gusta visitar. De alguna manera, la experiencia siempre es positiva para todos.

Después de nuestro primer viaje, me dijeron: «Papá, ahora entendemos porque comes tanto. Es porque estabas quebrado». Supongo que hay mucha verdad en eso. Parte de mi sueño fue jamás volver a tener hambre.

Recuerdo cuando era un niño hambriento y necesitado. El sentir hambre transmutó de una necesidad inmensa a un sentimiento de incapacidad constante que taladraba mis sentidos. Mi única compañía, en esas noches cuando mis intestinos crujían, era el olor que me llegaba de la comida de los vecinos o de los tacos que se vendían en la calle. La incertidumbre de no saber cuándo mi barriga vacía recibiría algo de comer me incomodaba. Mi corazón herido recibía muy poco aliento. Era como morir poco a poco, cada día.

Yo sé lo que se siente no tener qué comer...

Esas visitas que hago a mi pueblo son difíciles para mí. Yo fui la clase de niño que iba al puesto de los tacos con algunos de mis amigos. Comíamos y corríamos sin pagar y lo hicimos muchas veces. Recuerdo a uno de mis amigos tocándose el estómago y diciéndome: «Nelo, tengo hambre y no puedo dormir». Regularmente, veo a mi amigo Lupe durante mis visitas. Él era mi socio de crímenes en el robo de los tacos. Es gracioso; siempre que visito mi pueblo recuerdo a la señora a quien le robábamos los tacos. Imagina un día poder regresar y poder comerte todos los tacos que quieras sin tener que correr. Al contrario, poder pagarlos y hasta dejar propina.

Era costumbre que este amigo viniera conmigo antes de dormir y nos poníamos en acción a comer tacos corridos. Yo era un niño que observaba a través del cristal de los restaurantes y en el momento en que la familia terminaba de comer, me metía de forma furtiva al local y comía los restos de la comida de sus platos y corría.

Una vez fui a México. Estaba comiendo el desayuno en un restaurante y se nos acercó una pequeñita de cinco años. ¡Cinco! Sin zapatos ni blusa. Se nos acercó y nos preguntó si podríamos darle de comer.

La observé detenidamente y luego volteé a ver a mi esposa y exclamé: «Ella es yo cuando tenía cinco años».

Le pregunté a la niña: «¿Dónde está tu mamá?».

Puso el dedo sobre su boca y murmuró: «Cruzando la calle, en la esquina».

Le dimos un billete de doscientos pesos. Lo tomó y salió corriendo. Desgraciadamente, eso se ve allá por todas partes.

También recuerdo ver a niños recogiendo vasos de plástico. Recuerdo cuando fui a Brasil a la Copa Mundial. Los chicos nos seguían por todos lados y nos pedían los vasos de plástico cuando terminábamos de usarlos. Para ellos, eran artículos de lujo. Recuerdo haber hecho lo mismo cuando era chico.

Es difícil para mí cuando regreso porque todavía veo a la gente con la que crecí.

Hombres de mi edad se ven más grandes que yo, pero de alguna manera, todavía son hombres jóvenes. La primera cosa que algunos de ellos dicen cuando me ven es: «Juan, cuando te vayas, si hay algo que quieras darme como pantalones, una camisa o zapatos, lo que sea, te lo agradezco».

Tengo que ayudar a otras familias a tener una gran vida también.

La vida no es difícil, es simple. Define tu sueño. Levántate por la mañana y toma una decisión: invierte tu tiempo o desperdícialo. Si inviertes tu tiempo, gradualmente te irás acercando a y construyendo lo que quieres. Si malgastas tu tiempo, gradualmente te alejarás de lo que quieres. Tienes que darle un sentido de valor al tiempo, porque el tiempo no tiene predilección por nadie. Rige nuestras vidas con su tic tac imparable y depende de cada uno de nosotros el dar a cada tic tac un valor determinado. Es allí cuando entra en juego nuestro libre albedrío. Es decisión única de cada individuo cómo utilizarlo, cómo invertirlo, pero malgastarlo es una decisión imperdonable si estás persiguiendo un sueño.

La acción o la inacción te conducirá: te llevará hacia tus metas o te alejará de ellas.

Muy dentro de nuestro ser, hay algo que puede impulsar nuestros sueños hacia la acción. Quizá nos da pena o nos sentimos avergonzados de compartirlo porque es demasiado personal. No podría ir por la vida o durante mi época de estudiante diciéndole a la gente: «Sabes qué, a mí me crió mi abuelita, no mi padre o mi madre, y mi sueño es construirle una casa a mi abuela y edificar una relación con mi padre».

Eso es algo que guardas muy dentro de tu ser y rara vez lo compartes.

Ahora le digo a la gente: «He logrado varios de mis sueños. Ayudé a mi abuela. Estoy al pendiente de mi madre y de mi padre». Hoy puedo decirle a mi papá: «Papá, tienes un hijo que hizo todo lo posible por llegar a ser alguien, un hijo que tiene toda la voluntad de tener una relación contigo. Te amo y no estoy aquí para juzgarte».

¿Cuál es tu sueño?

¿Qué hay dentro de ti para que lo consigas?

¿Qué hay dentro de ti que te provoca luchar para que te enfoques y trabajes? La diferencia entre el éxito y el fracaso es cómo se invierte el tiempo.

Capítulo QUINCE

La gracia de Dios

Podría decir que mi vida era como un árbol que talaban, donde el sueño de persistir producía nuevas ramas que emergían del tronco.

Para la mayoría de los estudiantes después de graduarse, el primer paso es conseguir empleo para conseguir un crédito hipotecario y comprar una casa y un carro. Cuando empecé a ejercer mi carrera, la gente a menudo me preguntaba: «¿Por qué no compran una casa?», y les contestaba que por el momento no lo haríamos, que permaneceríamos en el apartamento.

Por algún tiempo, conseguía que alguien me llevara hasta el trabajo. Me resistía a endeudarme para comprar un carro. Mi mentalidad era ahorrar e invertir en nuestro negocio. Ya teníamos un carro; Alicia lo utilizaba, pero era bastante humilde.

De hecho, mi estrategia era comprar un auto de 800 dólares cada año. Lo conducíamos hasta que me diera—por lo menos—diez mil millas. Cuando el carro se descomponía y me dejaba en algún rincón de una ciudad, llamaba a Juan Murillo, un amigo de nuestra organización que sabe de mecánica, para que lo hiciera andar y se quedara con él. Luego compraba otro. ¡Eran vehículos desechables!

Me gustaría tener fotos de esos carros, pero tampoco teníamos teléfonos celulares en esa época. Por supuesto que ya existían los celulares, porque no somos tan viejos, pero no podíamos darnos ese lujo. Sobre todo porque no queríamos endeudarnos.

Cuando se tiene una formación como la mía, en el momento de obtener mil dólares, los valoras como si se tratara de una cantidad mayor. Cuando se trabaja todo el día en el campo para ganar 20 dólares, aprendes a apreciarlos. En tal virtud, puedo decir que desarrollé y mantengo una apreciación sana por el dinero.

Recuerdo que a uno de los carros lo llamaba «el tiburón», porque el frente del cofre (capó) se abría un par de pulgadas mientras lo manejabas, como si fueran las mandíbulas de un tiburón.

Recuerdo que cuando teníamos reuniones de negocios en los hogares, algunas de las personas de nuestra organización nos pedían que nos estacionáramos en otra parte de la calle para que la gente no viera el carro.

> **Podría decir que mi vida era como un árbol que talaban, donde el sueño de persistir producía nuevas ramas que emergían del tronco.**

Algunas personas piensan que conducir un carro de lujo y vestir ropa de diseñador, es la clave para patrocinar a personas o para atraerlas al negocio. Sin embargo, yo les decía: «No, no. Así no es». Los productos, las oportunidades de negocio y el equipo en sí son los que atraen a las personas al negocio, no el fingir ser alguien más.

«Si manejar un carro viejo no representa un problema para ti, tampoco lo será para el grupo, pero si esto representa un problema para ti, de igual manera lo será para el grupo».

Nuestro negocio fue creciendo a pesar de nuestras apariencias externas.

Yo constantemente les recordaba la razón por la que nos unimos al negocio. No fue porque quisiéramos un buen carro o una enorme casa. En mi caso particular, fue para construirle una casa a mi abuela y ser alguien para mi padre. Alicia quería renunciar a su trabajo de día y tener tiempo para cuidar a nuestro hijo, no para impresionar a otras personas.

Honor a quien honor merece

He experimentado derrotas, pero también he tenido algunos logros.

Entendí que los fracasos, en su mayoría, fueron por mi culpa y que los éxitos son una gracia divina que proviene de Dios, nuestro Padre. Aún recuerdo cuando leí: «*Mas tú cuando ores, entra en tu aposento, y cerrada la puerta, ora a tu Padre que está en secreto; y tu Padre que ve en lo secreto, te recompensará en público*». (*Mateo 6.6 RVR 1960*)

Alrededor del año 2001, le pedí a Dios que me ayudara en nuestro negocio. Tomé la determinación de leer la Biblia y creer. Pedí, busqué y toqué, tal como se menciona en *Mateo 7.7–11 (NVI): «Pidan, y se les dará; busquen y encontrarán; llamen y se les abrirá. Porque todo el que pide, recibe; el que busca, encuentra; y al que llama, se le abre.*

»¿Quién de ustedes, si su hijo le pide pan, le da una piedra? ¿O si le pide un pescado, le da una serpiente? Pues si ustedes, aun siendo malos, saben dar cosas buenas a sus hijos, ¡cuánto más su Padre que está en el cielo dará cosas buenas a los que le pidan!»

De esa manera, comencé a orar en secreto. Fue así de simple. No hice aspavientos al respecto con mis amigos y compañeros del negocio, pero empecé a ver que Dios me cuidaba.

En el pequeño apartamento donde vivíamos años atrás, el baño era mi lugar secreto.

Estaba construyendo mi relación con Dios. No tenía gran conocimiento, pero estaba ansioso por tener una vida mejor. Poco a poco, a medida que trabajaba en acrecentar mi fe, el negocio mejoraba. A pesar de las turbulencias, tenía suficiente energía para construir la organización y los números crecieron. Era como un árbol que había sido talado, pero nuevas ramas surgían del tronco.

Para octubre del 2002, íbamos y veníamos de San Jose a Fresno. Realizábamos largas jornadas, manejando cada noche para hacer crecer nuestro negocio. En una ocasión, cerca de las tres de la mañana, me quedé dormido; la autopista estaba vacía. El carro se salió del camino y lo que a continuación recuerdo es que el carro empezó a dar una serie de vueltas interminables. Lo primero que me vino a la mente fue que estábamos en una zona deshabitada. Cuando el carro finalmente se detuvo, estábamos sobre tierra firme, pero volteados, y de manera sorprendente, escuché unas voces orar fuera del carro.

Como pude, salí del carro y no podía creer lo que vi: Dos personas paradas a aproximadamente tres metros y medio del carro; eran un hombre y una mujer, ambos con cabello largo platinado hasta la cintura, tomados de la mano, viéndose uno al otro y orando. La luz era tenue, pero pude apreciar que su ropa no era común. El material parecía ser de un estilo más bien largo y difícil de describir.

—¿Están bien? —interrogaron mientras nos observaban.

Sorpresivamente, un oficial de policía llegó a donde estábamos y nos preguntó qué pasó. «¿Están bien?», preguntó. «Me dirigía al norte con estos prisioneros y de alguna forma terminé aquí». Llamó a una ambulancia y se fue.

En ese momento, nuestros extraños visitantes se encaminaron hacia un viejo carro y se marcharon.

Comencé a llorar.

El carro quedó destrozado. Nosotros estábamos bien, a excepción de un moretón doloroso.

A pesar del terrible accidente, Dios, en su infinita misericordia, nos protegió esa noche. Esa fue la razón por la cual, cuatro meses después, nombramos a nuestro nuevo hijo Ángel Jacob. Alicia había estado cinco meses de embarazada durante el accidente.

Creemos de todo corazón que Dios nos protegió a los tres. A partir de ese momento, todo cambió para nosotros.

El hecho de poder patrocinar a una sola persona en nuestro negocio no era nada fácil, pero a pesar de eso, comenzamos a crecer. Continuamos trabajando muy duro, pero algo cambió. Las cosas empezaron a suceder de forma espontánea. No podría acreditarme el éxito, ni siquiera podría explicar esa paz que sentía al acrecentar una relación profunda con Dios y su palabra en secreto. Todo lo que puedo decir es que experimentamos un tiempo de bendiciones y recompensas.

En base a mi propio esfuerzo y estrategia, cinco más cinco, más cinco son quince, pero Jesús era capaz de alimentar a cinco mil personas con tan solo dos pescados y cinco rebanadas de pan. Solo Dios puede multiplicar nuestros esfuerzos.

Quedamos sorprendidos cuando los ejecutivos de la organización dijeron que se estaban patrocinando 200 personas al mes, luego dijeron 500, luego 1.000, 3.000 y 5.500 en un solo mes. Cuando ocurren las bendiciones, es una prueba. Ya sea que tomes el crédito para ti o se los des a Dios. Todo el crédito es por la gracia de Dios.

Siempre que empezábamos una nueva rama de nuestra organización (las nombramos piernas), le pedía a Dios que me permitiera poder patrocinar a uno más y oraba también por todos nuestros asociados en nuestras piernas existentes. «Bendícelos, Señor, y permíteles que tengan crecimiento».

Quiero decirte que no soy una persona perfecta ni mucho menos un modelo ejemplar. No, pero Dios sabe lo que hay en el corazón de cada uno de nosotros.

Cuánto añoraba el bienestar para las personas de nuestra organización y para nuestras familias. Queremos mostrarle gracia a otros porque nosotros mismos ciertamente la necesitamos.

Al iniciar Equipovisión, no teníamos idea en qué nos estábamos metiendo.

No tenía idea de que íbamos a tener que lidiar con envíos, seguros, reglamentos, cumplir con leyes locales, estatales y federales para los empleados, indemnización de trabajadores, cuestiones de cumplimiento legal, impuestos del estado, impuestos federales, impuestos sobre la venta y de toda otro tipo. ¡Necesitaríamos la ayuda de contadores para llevar un control exacto de todos esos impuestos!

Necesitábamos gente capaz en todas las áreas del negocio, ya que las regulaciones del gobierno son cada vez más rigurosas para quienes desean comenzar un negocio, agrandarlo y hacerlo exitoso.

Recuerdo que cuando empezamos a compensar a los líderes, la contabilidad no se realizaba. Contratamos a un contador y al tercer día ya no se presentaba. Esto ocurrió varias veces.

Yo solía decir: «Dios mío, vamos a ir a la cárcel pronto». Y nos concentramos nuevamente en la oración. Recuerdo haber dicho: «Le pediré a Dios que nos envíe a la persona que necesitamos para cumplir con este trabajo», y Dios respondió.

En la actividad empresarial, es muy fácil desechar u olvidar la fe, pero Dios cuida de nuestras vidas en todos sentidos. Meses después, recibí una llamada de un hombre llamado Rodger. Llenaba todas las expectativas para el empleo y nos mencionó que encontrar este trabajo también fue una respuesta a sus oraciones. Esa es la forma como Dios trabaja: siempre es bueno para todos los involucrados.

Hoy en día, puedo compartirte que todo lo que le he pedido a Dios, Él me lo ha proporcionado.

¿Te sorprende mi testimonio? ¡Permíteme explicarte!

El Rey David escribió una canción que se llama Salmo 37: «*Deléitate en el Señor y Él te concederá los deseos de tu corazón*». *(Salmos 37.4 NVI)*

A primera vista, estas palabras parecen indicar que Dios te dará todo lo que deseas. Lo analizaremos de manera más profunda. Cuando pones a Dios ante todo y lo amas de todo corazón, los deseos de Dios penetran en tu corazón. Luego Él complace y cumple tus deseos porque vienen de un corazón puro.

Dios nos promete darnos un corazón nuevo y limpio. Depende de nosotros querer operar desde el corazón, amar a Dios y amar al prójimo.

¿Vives así? Creo que todo comienza con lo que haces cuando nadie más está presente. Ora en secreto y Dios te recompensará en público.

Podría haber sido el peor de los hombres que hubieras conocido. Por la gracia de Dios no fue así. El venir de una familia disfuncional y con tanta pobreza pudo haberme arruinado. Sé lo que se siente ser juzgado y echado a un lado por apariencia o limitación financiera. El éxito pudo haberme destruido, pero afortunadamente, estoy consciente de lo bendecido que soy y de la gracia que necesito de Dios.

Capítulo DIECISÉIS

La importancia de la vocación de servicio

Fundamos Equipovisión porque necesitábamos establecer confianza para el futuro.

Muchos de nuestros *uplines* habían violado nuestra confianza, pero no todos. De hecho, necesitábamos a alguien por encima de nosotros en la organización que confiara en nosotros con este nuevo proyecto. Muchos de nuestros métodos eran nuevos para la organización. No siempre teníamos la razón, pero sabíamos lo que funcionaba y lo que no funcionaba cuando se trataba del negocio.

La mayoría de la gente tiene la tendencia de esconder sus debilidades y pretender que saben más de lo que en realidad saben. Este es particularmente el caso en las entrevistas de trabajo. Yo había pasado suficiente tiempo alrededor de gente que simulaba como para saber intuir cuáles de los candidatos eran transparentes.

Está bien admitir que no lo sabes todo. Cuando eres honesto, otras personas pueden complementar tus habilidades y ayudarte. Es una situación en la cual ganas cuando muestras esa sinceridad. Ganas en todo: mayor conocimiento de aquéllos expertos en el tema y relaciones duraderas, porque las personas se sienten más identificadas con alguien que tiene la honestidad de admitir «necesito ayuda con esto, no sé cómo hacerlo»; y como líder, te vas a ver rodeado de un grupo de personas con un entrenamiento integral. ¿Por qué? Porque no temerán preguntar cuando no sepan, en lugar de fingir que saben algo acerca de lo que se esté tratando en particular. Esa actitud de honestidad atraerá lo mismo y con ello, tapará los huecos donde el negocio pueda tropezar por falta de capacitación.

Cuando creces en barrios pobres, aprendes a sobrevivir, pero no aprendes a confiar. Es lo último que piensas. Esa desconfianza puede hacer que una persona viva a la defensiva y no se arriesgue por sus sueños. Esto trae como resultado vivir en ostracismo. Todos debemos llegar a un punto en el que necesitamos superar esos sentimientos y decir: «Voy a correr el riesgo y a confiar para poder construir un grupo y avanzar hacia mis metas».

Frecuentemente, los líderes no piden ayuda y cuando ven a otro líder que está ascendiendo, reaccionan y no confían en la persona. En ese caso, hay pérdidas para todos.

Cuando tus reacciones son siempre defensivas, eso nunca funciona. Ser defensivo y sospechar de todo y de todos no funciona. Es mejor confiar, salir y ganar experiencia que quedarse en el sillón y no hacer nada.

Cuando confías más en otros, ellos confiarán más en ti.

Cuando eres transparente, las personas serán más abiertas contigo.

No me da miedo rodearme con personas que son mejores que yo, especialmente cuando construimos un equipo. Cada uno puede experimentar más éxito en equipo que lo que puede lograrse en solitario.

Este principio también se aplica al valor del tiempo. Tú y yo solo tenemos cierta cantidad de tiempo cada día, cada semana y por el resto de nuestras vidas. ¿Para qué pelear por controlar áreas que otros pueden manejar mejor que tú?

Hay cosas que solo yo puedo hacer y hay cosas que solo otra persona puede hacer. Esas son las áreas en las que debemos enfocarnos.

Para maximizar nuestro potencial y el potencial de otros, debemos estar abiertos a lo que otros contribuyen. Como dijo Steve Jobs, «la innovación es lo que distingue a un líder de los seguidores».

En el momento en que escribo esto, Equipovisión tiene más de mil eventos al mes en todos los Estados Unidos. Esto nunca hubiera podido ocurrir sin el apoyo de otras personas.

La falta de sinergia destruirá una organización y también a un líder.

Decidimos empoderar a los Zafiros y llamarlos miembros de la mesa redonda. Ellos representan a sus agrupaciones y saben mejor que nadie las necesidades de sus grupos. Por lo tanto, los miembros de la mesa redonda sienten que son los escuchamos y a la vez, participan en las decisiones que se toman. Así es como prevenimos una mentalidad de autoritarismo y ayudamos a la gente a crecer en una verdadera democracia.

Debemos planear los próximos cuatro meses. ¿Qué vamos a hacer? ¿Qué necesitamos para lograr esto?

Para la sorpresa de todos, estas decisiones no son unilaterales. Operamos de la misma forma cómo se formaron las instituciones en los Estados Unidos, de forma descentralizada. Cada estado tiene su propia manera de tomar decisiones a nivel local. Ellos conocen las necesidades y pueden satisfacerlas rápida, eficiente y sabiamente. Ellos son quienes deciden lo que necesitan.

Esos líderes no tienen que llamarme y hacer preguntas. Conocen nuestro sistema. Han pasado por nuestro programa y reciben entrenamiento y apoyo continuo.

Sabemos cómo acrecentar una organización sana. No es un secreto para nadie. La suma crea multiplicación y la multiplicación crea crecimiento exponencial. Patrocinamos, fortalecemos y entrenamos gente. Una organización solo puede crecer cuando hay una trayectoria clara, basada en expectativas claras.

Tenemos colegas que son buenos para motivar y otros que son excelentes para contar historias. Lo que yo traigo a la mesa es educación. Quiero que la gente se eduque sobre cómo construir este negocio y que entiendan su naturaleza. Es como vender tomates. Si vas a vender tomates, necesitas entender la naturaleza de los tomates. Una vez que los recoges, hay un cierto tiempo en el que debes venderlos, porque sino se pudrirán. Lo mismo ocurre en este negocio. Debes trabajar con la naturaleza del negocio, no pelear contra la naturaleza para crecer.

Hemos desarrollado una estrategia que funciona para la gente. La estrategia es importante y no cambiará, pero las técnicas pueden cambiar. ¿Por qué?

Porque las técnicas emergen con base en las necesidades y facultades de la persona, junto con las fortalezas y experiencias particulares del individuo.

Comenzamos Equipovisión en 2007, con una meta específica y

impresionante: contar con un millón de personas. Ampliaríamos la organización en todos los 50 estados, de costa a costa. Este sueño no era el de obtener poder territorial. Deseábamos poder interactuar personalmente con la gente, dónde quiera que vivieran. En nuestros primeros días en el negocio, invertimos mucho dinero viajando grandes distancias para eventos de entrenamiento. Para mí, eso no tenía sentido. ¡Queríamos que la gente pudiera asistir a eventos locales cada mes!

Tenemos la meta de ayudar a un millón de personas a convertirse en Dueños de Negocio Independiente en nuestra organización y esta meta también fue creada en la primera junta en el 2007. Desarrollamos un plan y un currículo para hacer el sueño posible.

¿Cuál será nuestra misión? Desarrollar al individuo en todas su áreas: familiar, financiera y espiritual. Nuestra meta es servir a un millón de personas en esas áreas.

En este momento, todavía no hemos llegado a esa cifra, pero quizá tú seas una pieza importante para poder lograrlo.

Empezamos conquistando estado por estado.

En unos cuantos meses, había líderes en California, Oregon, Washington, Idaho y Colorado, pero recorrer el resto del país para llegar a hasta New York iba a ser un desafío.

Se eligieron a algunos líderes y dije: «Vamos a conquistar cada estado», y marchamos hacia Iowa y Nebraska, y después a Kansas e Illinois.

¡Hoy en día, estamos en todos los 50 estados!

Cuando la organización empezó a alcanzar la costa este de los Estados Unidos, se comenzaron a asociar personas en New York City.

California es diferente a Colorado y Kansas es distinto a Nueva York, pero sin importar el lugar o la cultura, las personas alrededor del mundo sueñan con una vida mejor.

Estamos orgullosos de ofrecerles una oportunidad.

Una de las personas que fue patrocinada en New York era un señor de México. Eso no es inusual, pero su lengua básica no era el español.

Hablaba la lengua milenaria de sus ancestros y la cultura azteca, el dulce y literario náhuatl. No hablaba absolutamente nada de inglés, pero sí un poco de español básico.

Llegó a la ciudad y trabajó en restaurantes. Por años, trabajó de 14 a 18 horas al día, por cuatro dólares la hora. Era suficiente para él comparado con la vida que había llevado en México. Sin embargo, en su interior deseaba más.

Él vio el plan de negocios y decidió asistir a uno de nuestros grandes eventos (buscó el tiempo para estar allí). Nuestro equipo lo patrocinó y empezó a escuchar los audios.

Después de solo cuatro años de aprender, hacer y orquestar, ahora se dedica tiempo completo al negocio y gana diez veces más que lo que ganaba en restaurantes.

Por supuesto que la mayoría del crédito le pertenece a él por tomar el riesgo y poner todo su empeño, pero también te dirá que el sistema funciona. Cuando fortaleces tu mente y sigues un entrenamiento comprobado, todo es posible.

Una de las personas que patrociné en el negocio en 1999 rápidamente se decepcionó por toda la corrupción que había en el sistema en ese tiempo; por lo tanto, renunció al negocio. ¡Yo estuve a punto de hacerlo también!

Después de alrededor de un año, cuando empezamos a trabajar en nuestra nueva estrategia, decidimos hablar con él acerca de los cambios que estábamos haciendo.

Lo encontré en una reunión familiar. Se notaba interesado en el nuevo plan, pero también se veía distraído. Le pregunté si aún vivía en la misma casa y si podría visitarlo la siguiente tarde. Él respondió que sí. Al siguiente día fuimos a la dirección que nos dio, pero la persona que atendió la puerta dijo que ya no vivía allí; por lo tanto, condujimos hacia un parque cercano para consultar el mapa y buscar direcciones de cómo regresar a casa.

¡Que gran sorpresa nos llevamos de encontrar a Juan Murillo allí en el parque! Me lanzó una mirada extraña. Algo estaba mal.

—¿Está todo bien? —pregunté.

—Sí.

—Me diste una dirección equivocada, ¿por qué?

—Bueno, no quiero decirte —balbuceó.

—¿Qué es? Dime —insistí.

—Vivimos aquí en el parque.

Tanto él como su esposa e hijos estaban sin hogar. Habían estado viviendo en su vehículo y bañándose en el baño público. No pude creerlo.

Lo habían despedido de su empleo y no pudieron pagar la renta de su casa.

Después de contarme su historia, me negué a compartir el plan de negocios, pero el insistió. «¿Quién soy yo para decidir ofrecerle o no esta oportunidad?»

—Tengo una estrategia para reconstruir el negocio rápidamente y hacerlo bien —le dije. Unos cuantos meses después, no teníamos los resultados. Después de haber dado una presentación por la noche, Juan se notaba frustrado. Por lo tanto, condujimos hacia las colinas en las afueras de San José. Durante el viaje, le conté lo que habíamos aprendido del pasado y le expliqué nuestra estrategia para fortalecer y entrenar a las personas. Cuando llegamos a la cima de le colina, le pregunté a Juan: «¿Habrá, por lo menos aquí en San Jose, un loco que piense como nosotros entre todas esas luces que se ven?», pues eran las once de la noche.

Juan confirmó que sí. Yo le dije: «Si es necesario tocar cada una de las puertas en San Jose para ubicar a ese loco lo vamos a hacer».

—Empecemos mañana —expresé con esperanza. La siguiente mañana, comenzamos a tocar puertas juntos por todo San Jose.

Él y su familia continuaban viviendo en el parque. Cuatro meses más tarde, él ya calificaba para Platino. Actualmente vive en Texas y tiene una casa con cine.

Pasó de no tener un hogar a construir un negocio exitoso que le permitió tener una casa con cine.

En este negocio, encontramos personas que se han dado por vencidas en sus vidas. Están quebradas. Nuestro sistema fortalece y alienta. En muchos de los casos, las vidas de las personas se transforman. Es como encontrar un viejo pedazo de madera a la deriva, dañado por las olas del océano y los rayos del sol; pero un artista experimentado puede remover las asperezas y transformar la madera en una completa y hermosa obra de arte.

De alguna manera, todos somos ese pedazo de madera. Yo era una madera dañada que nadie quería. A través del sistema, tú puedes convertirte en una obra de arte y tener brillo propio.

Nuestro modelo de negocio no se trata solamente de hacer dinero; ante todo lugar y principalmente, se trata de cambiar vidas.

No se trata de autos, casas o trajes. La vida es más que eso. No se trata de lobos solitarios viviendo en mansiones y contando dinero. Se trata de entender que los seres humanos formamos un todo y que todos necesitamos de todos. Se trata de relaciones y la forma de construirlas es por medio de la ayuda mutua y la confianza. Más que nada, me gustaría que todos entiendan que es muy bueno tener una vocación de servicio, tal como Jesús nos enseñó.

De hecho, me preocupa que el éxito de los líderes se les suba a la cabeza y que en como resultado, se olviden de honrar a Dios. Mi mayor temor en los eventos es que los líderes, incluyéndome a mí mismo, obtengamos más reconocimiento que el que debe recibir nuestro Salvador.

En este tipo de negocio, hay una tendencia de edificar líderes. Durante las juntas, la gente quiere tomarse una foto o conseguir un autógrafo. No me oculto detrás del escenario. No porque busco atención, sino porque sé que no soy más importante o más talentoso que cualquiera de los demás.

Por lo tanto, cuando las personas se me acercan durante los servicios del domingo y me preguntan: «¿Me puedo tomar una foto contigo?», yo les respondo amablemente: «Ahora no, quizá después de la sesión. Estoy aquí porque necesito crecimiento espiritual, tal como todos».

Nuestra meta es construir un negocio en el que las personas puedan entender que estamos para servir, para ser un mecanismo que impulse y mejore a otros y un día poder escuchar su historia.

Capítulo DIECISIETE

¿Cuál es tu sueño?

Cuando veo problemas, busco la raíz que los ocasionó y es como si me estuvieran llamando. Cuando veo problemas, veo una invitación: «Okey. Veamos qué podemos hacer para ayudar».

Es difícil para mí no compartir lo que sé con otros. Supongo que esa es la razón por la cual me convertí en maestro, por la cual estoy en esta industria de negocio y por la cual escribí este libro. El conocimiento, la sabiduría y las habilidades son para compartir.

Las oportunidades y las buenas noticias son para compartir.

Lo mismo ocurre en los negocios. Si encuentro algo que funciona, quiero compartirlo. Muy pocos líderes comparten la información, aun entre los miembros de su propia organización. Ellos manejan lo que se llama «inteligencia corporativa» y controlan la información en base al temor. En su criterio, creen que, si comparten, se crearán competencia.

Nosotros no inventamos los principios, solo los aplicamos. Cuando el negocio se estaba cayendo, le pedimos a Dios por su ayuda y buscamos soluciones sabias.

También soy un hacedor. Mientras tengo la paciencia de escuchar acerca de un problema, quiero ir más allá. Buscar la forma de encontrar la solución.

Nuestro equipo sabe esto acerca de mí y hemos incorporado el aspecto proactivo dentro de la cultura de nuestro negocio. «Está bien que nos traigas un problema. Solo asegúrate de traer una o dos soluciones contigo». No es que solo deseamos evitar ser el desagüe de los problemas. Yo sinceramente valoro la perspectiva del equipo.

La práctica de ir más allá del problema hacia la solución es también crítica cuando estamos orquestando nuestras vidas personales. Mucha gente se queda atrapada en sus problemas. Sé lo que se siente, pero esa impotencia no te ayudará a avanzar hacia tu sueño.

Para cualquier problema que enfrentes, siempre habrá una solución. Tus soluciones pueden involucrar el aprender o reaprender y sin duda alguna, incluirá el hacer y rehacer. *La mejor manera de componer algo es no intentar deshacer lo erróneo del pasado, sino aplicar nuevas acciones constructivas para un mejor futuro.*

Espero de todo corazón que este libro te haya permitido entender la importancia de Aprender, Hacer y Orquestar en relación a todo lo que emprendas.

Si te diera un consejo, sería: No pierdas la esperanza. Mi historia podría enseñarte que lo bueno triunfa sobre lo malo, lo imposible se convierte en posible y la prosperidad se encuentra escondida en tus hábitos. Me he dado cuenta que invertir el tiempo es de sabios y la sabiduría viene de Dios.

Ahora que he llegado a un punto de mi vida donde puedo ayudar a más personas, me siento obligado a compartir. Es imposible para mí no hacerlo.

Una vez que sabes que lo que has logrado puede ayudar a otros a salir adelante, ¿por qué deberías callar? Después de todo, ¿para qué venimos a este mundo si no es para ayudarnos los unos a los otros?

> **La mejor manera de componer algo es no intentar deshacer lo erróneo del pasado, sino aplicar nuevas acciones constructivas para un mejor futuro.**

Todos tenemos ese deseo interno de ser exitosos en la vida y esto significa mucho más que solo éxito financiero. Las finanzas pueden ser una bendición en tu vida, en tu familia y en la comunidad, pero tenemos un propósito más grande también y eso gira alrededor de tu sueño.

El problema es que mucha gente no sabe cómo avanzar hacia su sueño. La mayoría no sabe cómo cambiar la dirección de su vida. Por lo tanto, ese sueño les parece inalcanzable.

Cuando era un adolescente, todo lo que veía de mi futuro era desolación. En mis años veinte fue cuando logré mi meta primordial de graduarme de la universidad y convertirme en profesor, pero aún faltaba más...

En el comienzo de nuestro negocio, enfrentamos fracasos, burlas, críticas y agotamiento, y nuestra familia sufrió por ello. No quiero que nadie más pase por esos mismos sentimientos de desesperanza como nosotros. Con nosotros, ya fue suficiente.

Por eso fue que tomamos nuestras experiencias y nuestros fracasos y los de otros líderes para crear una plataforma de desarrollo personal. El objetivo esencial de nuestro negocio es cambiar mentes y corazones; el resto llega por añadidura.

Por lo tanto, te pregunto: ¿Qué hay dentro de tu corazón? ¿Qué quieres lograr? Eso que tú deseas es para que lo logres. Por alguna razón, Dios lo depositó en tu corazón. Eso que tú quieres es para que te lo consigas. Te puedo decir que hay momentos en los que quieres renunciar a eso que deseas. Sin embargo, tu deseo es más fuerte y no te permite darte por vencido. Lucha por ello. Tú puedes. *You can do it...*

Quiero asegurarte, por experiencia propia, que hay esperanza para ti, sin importar tu situación presente. Cuando tomes las riendas de tu sueño, pide y se te dará; cuando busques, encontrarás y cuando toques, las puertas se abrirán. Recuerda que es una promesa de Dios *(Mateo 7.7);* Dios tiene un plan para todos. Él no hace diferencias con ninguno de sus hijos por raza, condición social, sexo, discapacidades, creencias religiosas o políticas. Jesús dijo: «Yo soy el camino, la verdad y la vida». Que estas palabras entren en tu corazón y te estimulen a hacer cambios cuando sean necesarios, y a seguir adelante. Todo empieza con un sueño.

Compartamos juntos el sueño

Si estás casado, no trates de imponerle tu sueño a tu cónyuge. En su lugar, pregúntale acerca de su sueño y trata de entender su motivación, sin juzgar y criticar. Cuando lo hagas, estarás en una mucho mejor posición para compartir tu sueño con tu pareja.

También descubrirás los sueños compartidos.

Toda mala experiencia trae algo bueno.

Nuestra estrategia de negocios nació del dolor y la decepción.

¡Estoy tan agradecido de no haberme dado por vencido!

Frecuentemente, las cosas buenas ocurren como resultado de las cosas malas. Algunas veces, las cosas buenas ocurren a partir de estas experiencias porque los seres humanos no aprendemos de lo bueno, de lo que se nos da sin haber trabajado por ello, sino que aprendemos de lo que duele y cuesta. «La experiencia es un mal necesario», como algunos dicen, pero Dios también puede convertir una mala experiencia en un futuro luminoso. En Romanos, el apóstol Pablo escribió:

«*Y sabemos que a los que aman a Dios, todas las cosas les ayudan a bien, esto es, a los que conforme a su propósito son llamados*». *(Romanos 8.28 RVR1960)*

Cuando haces un repaso de mi vida—los comienzos difíciles, los muchos desafíos y las bendiciones que tenemos—estás viendo plasmada la Gracia de Dios.

De hecho, nuestra pasión por ayudar a las personas contiene la energía de las aflicciones que experimentamos.

Cuando mires tu vida, ¿elegirás creer que Dios puede hacer que las cosas sean de bien para ti? Si te has conformado con permanecer en un pozo, eso es quizá porque no sientes motivación para tomar acción.

Tal vez digas: «Juan, yo tomé acción y las cosas empeoraron».

Puedo identificarme contigo. Ahora ya sabes mi historia: años de trabajo duro sin fin y sin resultados. El problema era que estaba trabajando incorrectamente.

Sé un poco de agricultura, por lo tanto, utilizaré esta analogía. La tierra no solamente recompensa el trabajo; la tierra recompensa el método correcto de trabajo. Si quieres sembrar naranjas en tu patio trasero, no siembras jugo de naranja en el pasto.

Puede que gastes todo tu dinero en jugo de naranja y trabajar duro en el jardín de tus sueños, pero si nunca plantas semillas, nunca verás crecer árboles de naranjas.

Es por eso que los seres humanos nos necesitamos los unos a los otros para aprender de la sabiduría que algunas personas han obtenido a partir de la decepción y el trabajo duro. Aprendamos de los que ya han recorrido más millas del camino que nosotros.

Ser, quehacer y relaciones

Para alcanzar una meta, nos necesitamos los unos a los otros, como los engranajes de una maquinaria.

Yo soy un engranaje y tú eres un engranaje. Tanto en lo positivo como lo negativo, todos tenemos un efecto en las personas alrededor de nosotros. Somos parte de un todo y por eso el Ser de una persona es tan importante.

El carácter impulsa nuestras interacciones y acciones—qué hacemos y cómo lo hacemos. Estas tareas reflejan nuestro carácter y afectan nuestras relaciones. Cuando empiezas a moverte hacia tus metas, vas a encontrarte con el carácter de otras personas y también te enfrentarás a tu propio carácter.

La buena noticia acerca de los engranajes es que podemos beneficiarnos de las fortalezas de otros y ofrecer nuestras propias fortalezas a otros que son débiles; pero el beneficio mutuo solo puede lograrse cuando el Ser, el quehacer y las relaciones son saludables.

Alguien puede ser muy bueno al hacer las tareas de un plan de negocios, pero si le falta carácter, las cosas no van a salir bien. Si no respetas a los demás, si eres de temperamento fuerte o no eres paciente, la gente te dará la espalda.

Otros pueden ser maravillosos para crear relaciones, pero si no tienen la disciplina de aplicarse al trabajo diario o construir un negocio y una vida estable y próspera, se la pasarán pidiendo prestado sin pagar. Esta es la razón por la cual desarrollamos un programa eficaz para ayudar a las personas a entender que los mejoramientos en la vida vienen a través de un esfuerzo consciente.

De alguna manera y por la gracia de Dios, tengo la capacidad de dejar ir el pasado y perdonar a las personas. Por supuesto que he tenido mis desafíos y algunas experiencias son más fáciles de superar que otras. Sin embargo, debo decirte que el perdón ha sido increíblemente importante para mi vida, mi familia y mi negocio.

La falta de perdón y el rencor son cargas pesadísimas que nos impiden avanzar en nuestras vidas. Siempre tengo en mente cuánto perdón me han ofrecido Dios, mi familia y mis amigos. Todos necesitamos del perdón. Cuando recibes perdón, te fortaleces y te inclinas a perdonar a otros. No sé cómo alguien podría perdonar sin admitir que también necesita del perdón. El perdón es uno de los actos más sublimes que distinguen la grandeza de un ser humano, gracias a que tenemos a un Salvador—Jesucristo—quien puso en claro su deseo de perdonarnos y su deseo de que nos perdonemos unos a otros.

También tengo una razón práctica para mantenerme libre de rencor y falta de perdón. Deseo enfocarme en mis sueños y no quiero que un sentimiento tan enconoso y venenoso me desvíe de mi meta. No permito que ese tipo de distracciones obstaculicen la ruta hacia mis sueños.

Todos cometemos errores. Cuando lo hago, lo reconozco, pido disculpas y sigo adelante.

Puesto que todos necesitamos práctica para dejar atrás el pasado, también necesitamos practicar recordar.

Aprender a recordar

¿Te acuerdas de la Señora Downing? Ella le dio respuesta a la pregunta principal de mi vida. A la edad de quince años, yo le pregunté: «¿Usted cree verdaderamente que yo pueda llegar a ser alguien en la vida?»

No sabía la respuesta a esta pregunta. Quizá mi destino era la decepción. La vida me había preparado para ello. Más valía saber la triste verdad y abandonar la esperanza de ser alguien de una vez. La vida, hasta ese momento, me había mostrado un lado tan doloroso que una respuesta negativa me habría parecido común—quizá ni me hubiera hecho daño. La palabra «sueño» era un concepto con el cual apenas empezaba a familiarizarme.

Sin embargo, una vibración milagrosa sacudió mi interior cuando ella me miró directo a los ojos y dijo: «Juan, puedes ser todo lo que te propongas, siempre y cuando estés dispuesto a trabajar por ello». Le creí. Su carácter y sus acciones crearon una relación poderosa que me hizo creer que podría lograr grandes cosas en la vida.

Hace unos cinco años, me propuse encontrarla y agradecerle. Nos vimos en un restaurante en Selma, California. Ella lucía mucho mayor, pero conservaba esa chispa fiera en su mirada.

—Señora Downing, no creo que esté consciente de cuánto cambió usted mi vida ese día con su estímulo continuo y cómo su amabilidad a través de los años me fortaleció y me dio energía.

—Yo solo hice lo que se suponía debía hacer como maestra, Juan, —respondió.

Sin embargo, yo era maestro y tuve muchos maestros a través de los años. Su compromiso fue notable. Nunca se dio por vencida.

¿Ves cómo estimular a la gente es importante? Recordar la gentileza que otros han mostrado hacia ti es importante. Me siento feliz de haber tenido la oportunidad de darle las gracias personalmente.

¿Quién ha jugado un papel significativo en tu vida hasta ahora? Invierte algo de tiempo para agradecerles. Hacer eso es una manera maravillosa de edificar gratitud y humildad.

Más allá de eso, conviértete en alguien que alienta como la Señora Downing. No sólo se tomó el tiempo de escuchar, sino también de animarme. Ella no sólo me alentaba con palabras; ella tomaba acción. Yo no hubiera tenido una fiesta de graduación sin su consideración y generosidad.

Quiero transmitirte este mismo amor en acción y alentarte a que hagas lo mismo. Lo que todos buscamos en la vida es esto: amor. Recibir y dar amor te hará feliz.

El agradecimiento te mantendrá feliz a largo plazo. Practica esto y estarás en una posición de tomar pasos seguros y auténticos hacia tu sueño. Uno de mis sueños es que los hispanos que vivimos en Estados Unidos y nuestros descendientes entiendan los fundamentos con los que fue construido este país: Libertad para emprender tu propia empresa, libertad para poseer propiedad, libertad para participar en los asuntos gubernamentales.

Hay muchos aspectos hermosos de mi herencia que me esfuerzo por mantener. En estos días que miles de hispanos vienen a este país cada año, espero que conserven sus valores, pero se deshagan de formas caducas de pensar que el gobierno es quien tiene la responsabilidad de generar empleos y de mantenernos.

Deseo que la gente, de cualquier origen, aproveche la oportunidad que existe en este país de emprender un negocio y tomar ventaja de la libertad de empresa que ofrece este país. Para hacer eso, regularmente se requiere un cambio de mentalidad y dejar de lado ideas equivocadas acerca del negocio. El gobierno no genera empleos. Quien genera empleos son personas que emprenden negocios.

Específicamente, mucha gente tiene una percepción totalmente falsa acerca de las ventas directas. Vender es simplemente intercambiar productos o servicios por algún tipo de moneda. Además, el vender es el motor de la libre empresa.

Hay tantas personas que quieren mejorar sus vidas y se interesan por nuestro negocio, pero tienen miedo de hablar con la gente. Les ayudamos a entender que los estereotipos negativos acerca de la venta directa no son la norma.

Tú y tus vecinos compran productos y servicios todos los días. La pregunta es: ¿Te estás beneficiando de esas compras?

La gente escéptica nunca logra sus sueños.

Para emprender en la industria de la venta directa, no es necesario ser un experto. Los negocios se aprenden; las técnicas y estrategias se aprenden. El liderazgo se puede aprender. Lo único que nuestro equipo no puede proporcionarte es tu sueño, porque no nos pertenece; te pertenece solo a ti y tú eres el único capaz de hacerlo una hermosa realidad.

La libre empresa es la libertad de comprar y vender, con muy poca intervención del gobierno y aún más, es la libertad de ser lo que tú quieras ser, con base a tu propio esfuerzo.

No pierdas de vista tu sueño

La gente me ha preguntado ¿Cuál ha sido tu triunfo más grande? Yo siempre les digo: Esa casa que construí para mi abuela.

Su casa no fue costosa, pero para mí costó años de sacrificio y años de sueño. Cuando le entregué las llaves de su nueva casa, algo cambió dentro de mí. En ese momento, ya no me sentí en la pobreza. Por primera vez en mi vida, di un suspiro y me di cuenta que no era pobre. Había logrado el anhelo de toda mi vida.

Un sueño es mucho más que una meta. Tu sueño puede darte energía, transformar a tu familia y cambiar el mundo.

Todavía sueño y sigo trabajando sin cansancio hacia esos sueños, pero en este momento, tengo una pregunta para ti.

¿Cuál es tu sueño? ¿Qué hay dentro de ti que te hace escuchar voces todos los días? Dilo en voz alta ahora mismo, escríbelo o pídeselo a Dios.

La Señora Downing me dijo que podría ser alguien y yo le creí. Te estoy diciendo en este momento que tú puedes ser alguien. Puedes lograr tu sueño. Es cierto, tienes que aprender algunas cosas. Con paciencia y fe puedes lograrlo. Tú puedes... *you can do it.*

> ## La gente escéptica nunca logra sus sueños.

La Biblia tiene mucho que decir acerca de cómo trabajar hacia una meta. En Hebreos 6.11–12, leemos estas palabras de aliento:

«Pero deseamos que cada uno de vosotros muestre la misma solicitud hasta el fin, para plena certeza de la esperanza, a fin de que no os hagáis perezosos, sino imitadores de aquellos que por la fe y la paciencia heredan las promesas». (RVR 1960)

Dios ha prometido producir cosecha si plantamos las semillas. A través de la fe y la paciencia, veremos las promesas hacerse realidad mientras continuemos trabajando la tierra.

La paciencia significa que no nos daremos por vencidos. Con cada semilla que plantemos y con cada paso que demos, esperaremos la recompensa con paciencia.

Continúa aprendiendo con fe y continúa haciendo con paciencia. De la manera que lo hagas, tu mente se renovará. No tienes que reinventar la rueda; hay otros que ya han forjado un camino el cual puedes andar.

Sigue haciéndolo con fe y paciencia. Tus habilidades aumentarán y eventualmente elevaras tu ser, tu quehacer y tus relaciones.

Orquesta con fe y paciencia. Sé intencional en cuanto a tu liderazgo. Primero lidérate a ti mismo y a tu familia hacia la ruta correcta. Después podrás líderar a otros. Y llegará el momento que podrás líderar a un pueblo, una ciudad, a un estado y hasta a un país.

Mantén tu vista en tu sueño y tus manos en el trabajo.

Cuando creas que la imperfección te limitará a alcanzar tu anhelo, guarda esta verdad absoluta en tu interior: lo perfecto no existe. La belleza de un ser humano reside precisamente en esa llamada imperfección que es perfectible como una criatura hecha a semejanza de Dios y se anida allí en el centro mismo del corazón.

Cree.

Poder tocar las estrellas no es una metáfora, es literal y una bella realidad.

Da un paso adelante.

¡Tú puedes hacerlo!

Tanto en este país como en muchos lugares alrededor del mundo, gozamos de libertad personal a un nivel nunca antes experimentado en la historia. Tenemos libertad para triunfar y también para fracasar. Una de mis más anheladas esperanzas era poder ayudar a las personas a entender los principios que han fundado este país y abrazar la libertad de empresa que gozamos aquí.

Francamente, espero que los inmigrantes de todas nacionalidades no intenten recrear los pueblos de donde vinieron al construir sus vidas en los Estados Unidos. Espero que los hispanos asimilen la forma de pensar que fundó este país. Es fundamental proteger y promover las bases de este país. De lo contrario, se perderá su cultura de soñar y construir.

«Sostenemos como evidentes estas verdades: Todos los hombres han sido creados iguales; el creador les ha concedido ciertos derechos inalienables; entre esos derechos se encuentran: la vida, la libertad y la búsqueda de la felicidad. Los gobiernos son establecidos entre los hombres para garantizar esos derechos y su justo poder emana del consentimiento de los gobernados. Cada vez que una forma de gobierno se convierte en destructora de ese fin, el pueblo tiene derecho a cambiarla o suprimirla, y a elegir un nuevo gobierno que se funde en dichos principios y organizar sus poderes en la forma que a su juicio sea la más adecuada para alcanzar la seguridad y la felicidad.» Thomas Jefferson (Declaración de Independencia de EE.UU.)

En una ocasión, alguien le hizo la siguiente pregunta a Margaret Thatcher cuando visitó los Estados Unidos: «¿Qué fue lo que más le gustó de los Estados Unidos?». Ella contestó: «No tienen miedo a intentar».

Este es un país donde intentar un cambio es renacer y de volver a intentar todas las veces que sea necesario, hasta alcanzar la seguridad y la felicidad. Este es un país de nuevos comienzos y segundas oportunidades. *Cuida tus pensamientos porque se convierten en palabras. Cuida tus palabras porque se convierten en acciones. Cuida tus acciones porque se convierten en hábitos. Cuida tus hábitos porque se convierten en tu carácter y cuida tu carácter porque se convierte en tu destino. Nos convertimos en lo que pensamos. Donde va tu mente, va tu futuro....*

Es importante para nosotros los hispanos aprender a pensar como estadounidenses. Aprender a participar en la economía y cómo participar en el gobierno. El sistema de libre empresa no es perfecto, pero es el mejor sistema en el mundo, porque tiene una fundación basada en el esfuerzo personal y la libertad de buscar la vida que tú quieres. En otras palabras, este sistema revela quién es perezoso o trabajador. En este país, somos libres para aprender y emprender cualquier oportunidad. Lo que diferencia a una persona de otra es el nivel de esfuerzo. Todos tenemos la misma plataforma para competir. Por lo tanto, no hay espacio para quejarnos. Las reglas del juego son para todos y las oportunidades también.

Te deseo de todo corazón que el «Aprender, Hacer y Orquestar» traiga a tu vida y la de tu familia la realización de tus más profundos anhelos.